DARN BACH O BAPUR

DARN BACH O BAPUR

Nofel am aberth y Beasleys

Angharad Tomos

Darluniau gan Chris Iliff

Gwasg Carreg Gwalch

Argraffiad cyntaf: 2014

Rhif Llyfr Safonol Rhyngwladol:
978-1-84527-493-1

Cyhoeddwyd gyda chymorth Cyngor Llyfrau Cymru

Dylunio: Elgan Griffiths

Cyhoeddwyd gan Wasg Carreg Gwalch,
12 Iard yr Orsaf, Llanrwst, Dyffryn Conwy, Cymru LL26 0EH.
Ffôn: 01492 642031
Ffacs: 01492 642502
e-bost: llyfrau@carreg-gwalch.com
lle ar y we: www.carreg-gwalch.com

Argraffwyd a chyhoeddwyd yng Nghymru

I Ifanwy a Teresa,

chwiorydd yn y chwyldro

– heb anghofio Delyth, wrth gwrs!

DEMAND NOTE FOR GENERAL AND WATER RATES Rural District Council of Llanelly. Parish of Llangennech

THE RURAL DISTRICT COUNCIL OF LLANELLY demand payment of the undermentioned Rates, and of the Arrears (if any) of former Rates, as below, **now due from you**, viz. :—

GENERAL RATE made in respect of the Financial Half-year ending on the 30th day of September, 1958, at Twelve Shillings and One Penny in the £, including 1s. 3.71d. for additional items.

WATER RATE in respect of Two Quarters ending 30th September, 1958, on **Gross Value for Domestic Premises** at 10d. in the £ and Business Premises at 6d. in the £.

Mr & Mrs T.Peasley,
2, Allt,
LLANGENNECH.

SUB-OFFICE DAYS (Wednesdays) :

30th April ; 28th May ; 11th and 25th June ; 30th July ; 27th August ; 24th September, 1958.

R.F.C. Hall,
LLANGENNECH :
9.30 a.m. to 12 noon

Please Note Change of Collection Days

Assessment Number	Hereditament and Situation.	Rateable Value.	General Rate at 12/1 in the £ (£)	(s.)	(d.)	Gross Value. (£)	WATER RATE. Minimum Charge 4/4. (£)	(s.)	(d.)
237 1	2, Allt, LLANGENNECH.	4	4	4	7	12	-	10	-
3/9	Schedule No.								
	Arrears (if any) of former Rates as at 1st April, 1958.		14	7	1		3	16	-
	GROSS RATES DUE		18	11	8				
	Discount/Owners Allowance Claimable.		-	2	2				
	NETT RATES DUE £ If paid by 30th June 1958		18	9	6		4	6	-

HEAD OFFICE HOURS :
2, Queen Victoria Road, Llanelly
Week-days : 10. a.m. to 4 p.m.
Saturdays : 9.30 a.m. to 11.30 a.m
(Bank Holidays excepted)

NOTES

1. **DISCOUNT :** A discount of 2½% on the Current General Rates demanded, will be allowed provided the WHOLE of the demand is paid on or before the 30th day of JUNE, 1958, or in the case of new properties or increased or additional Assessments brought into charge during a rating period, within two months of the date of receipt of the Demand Note.

Such Discount, however, will not be granted where an allowance is made under the provisions of Section 11 of the Rating and Valuation Act, 1925 and Sec. 4 (5) (b) of the Rating and Valuation (Miscellaneous Provisions) Act, 1955.

2. **RATING OF OWNERS :** The Council have directed that the Owners of all hereditaments, the Rateable Value of which does not exceed Eighteen Pounds, be rated instead of the Occupiers. Subject to Sec. 4 (5) (b) of the Rating and Valuation (Miscellaneous Provisions) Act, 1955, a Rateable Value of £34 is substituted for hereditaments entitled to Owners Allowances at 31st March, 1956. The Council will make an allowance equal to 10 per cent. of the amount payable to any Owner who being so rated pays the amount due in respect of the above rate on or before 30th JUNE, 1958, or in the case of new properties or increased or additional assessments brought into charge during a rating period, within two months of the date of receipt of the Demand Note. The above allowance cannot be granted to Owner Occupiers.

3. **PAYMENT :** In order to secure the Discount or Owners' Allowance, payment must be actually RECEIVED on or before the date specified. This regulation cannot, in any circumstances, be relaxed. Rates sent by post are payable at :—

THE RATING OFFICE, 2, QUEEN VICTORIA ROAD, LLANELLY.
Cheques, Money Orders and Postal Orders should be made payable to "The Rural District Council of Llanelly" and crossed. They should not be made payable to any individual officer. Post-dated cheques not accepted. Cash and Treasury Notes should be sent by Registered Post. Only officially printed Receipts will be recognised.

4. **APPEALS :** Where an Appeal against the Assessment is pending, or contemplated, the Discount or Owners' Allowance will only be made on payment of the Rates as hereby demanded. The Rating Authority will refund any overpayment after the Appeal has been heard and determined.

5. **PROCEEDINGS IN CASE OF NON-PAYMENT :** These Rates are due and payable on demand, and the notice of ratepayers is drawn to the fact that the Council have power to take proceedings for non-payment at any time during the Rate period.

Gair gan yr awdur

Clec! Clinc! Dwi'n dal i gofio sŵn y ffenest yn torri. Ffenest tŷ haf oedd hi, a honno oedd fy ngweithred gyntaf efo Cymdeithas yr Iaith Gymraeg. Roedden ni'n torri i mewn i dai haf i brotestio yn erbyn y ffaith fod gan rai pobl ddigon o arian i brynu dau dŷ pan na allai rhai fforddio un. Tra oedden ni'n eistedd yn y tŷ, yng nghanol y nos, yn aros i'r heddlu ddod, mi fues i'n siarad efo'r ddwy arall oedd yn gwmni i mi.

"Delyth Beasley wyt ti, ia?" holais yr hynaf, merch â gwallt coch a'i llygaid yn pefrio. Nodiodd.

"Wyt ti'n perthyn i deulu'r Beasleys?" holais. Ro'n i wedi clywed amdanyn nhw mewn cân gan Dafydd Iwan.

"Odw, merch iddyn nhw odw i."

Ro'n i wedi fy synnu. "Felly, ti ydi'r ferch fach yn y lluniau?" holais.

"Ie," meddai hi.

Ro'n i wedi gweld y llun fwy nag unwaith – y llun o'r wraig ddwys efo'i dau blentyn bach. Eileen Beasley oedd wedi gwrthod talu y bil treth nes y câi fil yn Gymraeg. A dyma fi'n gweithredu rŵan efo'r ferch fach oedd wedi tyfu!

Daeth Eileen Beasley yn arwres i mi. A dwi am rannu ei hanes efo chi yn y llyfr hwn. Falle y bydd yn arwres i chi ar ôl i chi ei ddarllen. Efallai na fyddwch yn cytuno o gwbl â hi. Ond mae un peth yn sicr, byddwch ar y naill ochr neu'r llall.

Doedd hon ddim yn ddynes y gallech ei hanwybyddu – a dyna ddysgodd Cyngor Llanelli hefyd.

Angharad Tomos
Gorffennaf 2014

Y piano

Cyffyrddodd Delyth nodau'r piano – *do re mi ffa*. Yna'r nodau du. Nodau gwyn, nodau du bob yn ail. Rhyfeddai sut y gallai darnau o ifori wneud sŵn mor swynol.

Daeth Mot y ci i mewn i'r stafell fyw ac eistedd wrth ei hymyl. Gyda'i llaw chwith, mwythodd Delyth ei ben. Edrychai Mot arni fel petai'n deall y cwbl. Doedd dim ots na allai chwarae alaw go iawn.

Roedd Delyth yn berffaith fodlon ei byd. Chwarae'r piano oedd ei hoff beth, a gyda Mot wrth law, roedd ei byd yn gyflawn.

"Delyth!" gwaeddodd ei mam. "Amser mynd i nôl Elidyr o'r ysgol!"

"O'r gorau," meddai Delyth, a derbyn bod ei hamser wrth y piano wedi dod i ben. "Wy'n dod!"

Gwisgodd ei chôt, ac i ffwrdd â hi gyda'i mam i ddal y bws i Lanelli.

Doedd bywyd yn Llangennech ddim yn fywyd bywiog iawn, yn enwedig i blentyn pedair oed. Dyna feddyliai Delyth wrth syllu drwy ffenest y bws. Yn ystod y dydd, doedd ganddi neb i chwarae â nhw. Dyna pam roedd Mot yn gystal cwmni, a dyna pam roedd wedi gwirioni cymaint efo'r piano. Roedd ei mam gartref, a'i thad yn gweithio yn y pwll glo. Roedd ei brawd, Elidyr, yn yr ysgol drwy'r dydd. Edrychai ymlaen at dri o'r gloch – amser mynd i'w nôl – ac roedd cael teithio gyda'i mam ar y bws i Lanelli yn dipyn o antur.

Gwyliai'r glaw yn rhedeg i lawr y ffenest.

"Pam ry'n ni'n mynd i nôl Elidyr ar y bws, Mam?" holodd.

"Achos taw chwech yw e, ac mae'n rhy ifanc i ddod adre ar ei ben ei hunan," atebodd ei mam.

"Tase fe'n mynd i'r ysgol yn Llangennech, galle fe gerdded adre," atebodd Delyth.

"I fan'ny roedd e'n arfer mynd," meddai ei mam yn swta, "nes i bethau fynd o chwith."

Roedd hyn yn swnio'n ddiddorol. Eglurodd ei mam fod gwaith y Royal Navy Stores wedi dod i'r pentref, ac roedd llawer o bobl o bant wedi dod i weithio yno. Ar ôl iddyn nhw gwyno bod gormod o Gymraeg yn yr ysgol, roedd y rhan fwyaf o'r gwersi yn Saesneg.

"Felly, er mwyn i Elidyr gael addysg Gymraeg, rhaid iddo fe deithio bum milltir i Lanelli lle mae ysgol Gymraeg wedi'i chodi – y gyntaf yng Nghymru."

Doedd Delyth ddim yn meddwl bod hyn yn deg. Ond mae'n debyg mai ar y bws y byddai hithau'n mynd pan fyddai'n bump oed. Edrychai ymlaen yn arw, er y byddai'n colli cwmni Mot.

"Mam . . ."

"Ie, Delyth?"

"Ar ôl i Elidyr gwpla yn yr ysgol, fydd e'n mynd yn golier fel Dad?" Glöwr oedd ei thad, ym Mhwll y Morlais yn Llangennech. Cerdded i'w waith fyddai.

"Caiff Elidyr fod yn unrhyw beth mae'n moyn bod," atebodd ei mam, "a tithe, hefyd."

Wrth wylio'r dyn yn gyrru'r bws, meddyliodd Delyth y byddai honno'n swydd ddifyr. Ond merch oedd hi, felly châi hi ddim gyrru bysiau. Byddai'n hoffi bod yn bianydd enwog, yn cyfeilio i gorau ac yn difyrru pobl mewn theatrau.

"Athrawes oeddwn i," meddai ei mam.

Ceisiai Delyth ddychmygu ei mam o flaen dosbarth. Gwenodd a gofyn, "Oedd Mrs Beasley yn athrawes gas?"

"Nage Mrs Beasley o'n i bryd 'ny, ond Miss James. Chaiff merched ddim gweithio fel athrawon yn sir Gaerfyrddin ar ôl iddyn nhw briodi. Dyna pam taw gwraig tŷ ydw i."

Doedd Delyth ddim eisiau bod yn wraig tŷ. Bywyd diflas iawn fyddai hynny.

"Gaiff merched fod yn ddreifwyr bysys?"

"Os nag y'n nhw'n priodi," atebodd ei mam.

Eisteddodd Delyth yn ôl yn ei sedd a gwylio'r glaw. Gyrru bws neu briodi, dyna oedd y dewis mae'n amlwg, meddyliodd. Addysg Saesneg yn Llangennech, neu deithio pum milltir ar y bws i gael addysg Gymraeg. Weithiau, roedd y byd yn lle od iawn.

Wrth yr ysgol gwelodd wyneb ei brawd, a chododd ei chalon. Llamodd ar y bws a dweud hanes y dydd wrthyn nhw. Roedd popeth yn well rywsut unwaith roedd Elidyr yn dod adre.

Convict

Ar ôl yr ysgol, byddai Elidyr a Delyth yn aml yn mynd i chwarae yng nghefn y tŷ. Rhif 2, Yr Allt, oedd enw eu cartref, ac roedd ar gyrion y pentref. Un o'u hoff gêmau oedd llithro ar ddarn o sinc oedd ar ben y Stwmp, a dod i lawr ar wib – roedd cystal â reid ffair bob tamaid. Hen domen lo oedd yn arfer bod yn ym mhen draw Heol y Wagen erstalwm. Byddai plant eraill yr Allt yn hoffi dod i chwarae yno. Roedd gan Elidyr gang hefyd, gang i fechgyn, a fo oedd yr arweinydd. Châi merched ddim bod yn aelodau o'r gang fel arfer, ond fe gâi Delyth fod, gan mai ei brawd oedd y bòs.

Safodd Delyth ar ben y domen ac edrych i lawr ar yr olygfa o'i chwmpas. Dyma'i byd, ac roedd yn lle annwyl iawn iddi. Mae'n bosib iawn fod llefydd harddach na Llangennech, ond iddi hi, roedd yn lle arbennig. Roedd simne fawr y Gwaith y tu ôl iddi, yn drwch o iorwg erbyn hyn ac yn lle gwych i ddringo. Roedd adfeilion eraill hefyd yn fannau bendigedig i chwarae cuddio. Gyda'r coed ifanc a drain yn dechrau tyfu dros bopeth, roedd y lle'n berwi o gwningod, a'r hen hagrwch diwydiannol bron â diflannu'n llwyr.

"'Nhro i nawr!" meddai Ianto.

"Nage ddim, fy nhro i !" gwaeddodd Delyth, ond rhoddodd Ianto hergwd iddi a mynnu ei ffordd. Gan ei fod yn saith, ac yn hwlcyn, gadawodd Delyth iddo fod. Pan ddaeth Elidyr i lawr y llethr, cafodd godwm cas, a rhwygodd ei drowsus yn y mieri.

"Drato," meddai, "fy nhrowser ysgol i yw hwn. Ro'n i ar ormod o hast i newid. Fydd Mam ddim yn hapus."

Roedd Owen a Moi yn chwerthin yn harti, ac ymunodd Delyth yn y sbri. Cyn mynd adre, fe gawson gêm o guddio, ond gwaeddodd Ianto a dweud lle roedd ei chuddfan hi.

"Sa i'n ffrindie 'da ti, nawr," meddai Delyth wrtho ar ei ffordd adre. Roedd wedi difetha'r chwarae.

"Sdim gwahanieth 'da fi, sa i'n moyn bod yn ffrindie 'da merch i *convict* 'ta beth!"

Wyddai Delyth ddim beth oedd ystyr hynny, a chododd hi mo'r pwnc eto nes ei bod yn amser te.

Roedd Elidyr wedi cael cerydd am chwarae yn ei drowsus ysgol, ac wedi newid bellach i'w ddillad chwarae. Rhoddodd Delyth ddarn o gaws ar ei bara. Fydden nhw byth yn cael bara gwyn gartre, dim ond bara brown. Mynnai ei mam ei fod yn well iddyn nhw.

"Beth yw 'convict'?" holodd Delyth yn sydyn.

"Dyn sydd yn y jael," atebodd Elidyr.

Dyna od, meddyliodd Delyth, doedd ei thad hi ddim yn y carchar.

"Pam?" gofynnodd ei mam.

"Ianto Nant y Gro wedodd fod e ddim yn moyn bod yn ffrindie 'da merch i *convict*," atebodd.

"Siarad gyda ti oedd e?"

"Ie, ro'n ni wedi cwympo mas, a waeddodd e 'na wrth i fi gerddded bant."

Edrychodd Elidyr ar ei fam, "Ody Dad yn mynd i'r jael, 'te?" holodd.

Yfodd ei mam ei phaned. Doedd hi ddim yn edrych fel petai wedi dychryn. Efallai y byddai ei thad yn cael ei anfon i'r carchar am botsio. Roedd o a'i ffrind yn potsio pysgod yn aml, a doedd o ddim i fod i wneud hynny.

"Mae'n well i chi ddweud wrthon ni, Mam, os yw e."

Ochneidiodd ei mam. "Nage dim ond am dy dad roedd e'n sôn, ond am Dad a finne."

Tagodd Delyth ar ei the. Roedd ei mam yn wraig mor barchus ac yn athrawes ysgol Sul, a'i thad yn ddyn mor garedig.

"Ti yn *convict*?" gofynnodd.

"Nagw. Ond roedd y stori yn siŵr o fynd ar led yn y diwedd. Mae'n dishgwl yn debyg y bydd y ddau ohonon ni'n gorfod wynebu llys barn."

Rhoddodd Eileen Beasley ei chwpan i lawr ac adrodd y stori. "Pan ddaethon ni i'r tŷ 'ma gynta, roedd yn rhaid inni dalu trethi. Trethi yw arian y mae'n rhaid i bawb ei dalu – am ysgolion, ffyrdd, plismona, glanhau'r strydoedd a phob math o bethau fel'ny. Bydd yr arian hwn yn mynd i bot mawr yn y Cyngor, a dyna'r arian sydd ar gael i dalu am bopeth drwy'r flwyddyn."

Wrth iddi adrodd yr hanes, daeth yr amser hwnnw yn fyw iawn i gof Eileen Beasley, y diwrnod y cafodd y bil treth cyntaf . . .

Y darn bach cyntaf o bapur

Bwyta eu pryd nos roedd Trefor ac Eileen. Roedd blas da ar y tatws popty, y cig oen a'r bresych. Byddai Trefor wedi blino'n lân ar ôl dod adre o'r pwll a'r peth cyntaf a wnâi oedd ymolchi a bwyta'i swper. Unwaith roedd wedi cael paned o de ar ôl swper, byddai ganddo egni newydd. Dangosodd Eileen yr amlen a ddaeth yn y post, amlen frown, swyddogol yr olwg.

"Daeth hwn bore 'ma," meddai Eileen. Edrychodd ar y cyfeiriad:

Mr a Mrs Trefor Beasley, 2 Yr Allt, Llangennech.

Mrs Trefor Beasley oedd hi bellach, nid Eileen James, Blaenweneirch. Roedd honno wedi mynd am byth. Roedd hi'n dal i geisio arfer â'i henw newydd.

"Rhywbeth swyddogol yw e."

Gwyliodd Trefor yn agor yr amlen. Darn bach o bapur oedd y tu mewn, digon tebyg i fil. Crychodd aeliau Trefor wrth ei ddarllen.

"Cyngor Llanelli sydd wedi'i hala fe – bil treth yw e."

Dyna un peth oedd yn dod gyda thŷ newydd, meddyliodd Trefor – biliau. Rhaid oedd talu'r bil dŵr, y bil trydan, a

dyma'r bil treth. Roedd y rhain ar ben y biliau wythnosol – y bil bwyd, y bil glo a'r arian o ddydd i ddydd.

"Sdim synnwyr yn hyn," meddai Trefor wedyn.

"Yn beth?" holodd Eileen.

"Mae pawb ar y Cyngor yn siarad Cymraeg, ond 'co ni'n cael bil uniaith Saesneg wrthon nhw. Mae'r peth yn warthus."

"Wel, sdim isie i ni 'i dalu fe 'te," atebodd Eileen, a chodi i gasglu'r llestri.

Edrychodd Trefor ar ei wraig. "Wyt ti wir yn meddwl 'ny, Eileen?" gofynnodd.

Rhoddodd Eileen y llestri yn y sinc, ac agor y tap, "Odw. Os nad y'n nhw'n dangos parch at ein hiaith, pam dylen ni ddangos parch at eu trefen nhw? Fe ofynnwn am ffurflen Gymraeg, a phan gawn ni un, fe dalwn ni!"

Dywedodd Eileen hyn fel petai'r peth mwyaf rhesymol dan haul, a mynd ati i olchi'r llestri. Ac o'i roi mewn geiriau felly, roedd Trefor yn cytuno'n llwyr â hi. Dim ond nad oedd neb wedi gwneud y fath beth o'r blaen.

"Bydd 'na drwbwl, Eileen.'Weda i gymaint â 'ny wrthot ti!"

"Wy ddim yn gweld pam. Dim ond tamed bach o bapur yw e. Pa drwbwl? Allen i gyfieithu'r peth fy hunan tase hi'n dod i 'ny."

Eisteddodd Eileen i lawr y noson honno a dalen o bapur o'i blaen. Ysgrifennodd gyfeiriad a fyddai'n dod yn bwysig yn hanes Cymru: 2, Yr Allt, Llangennech.

Yna ysgrifennodd, "Annwyl Mr Richards". Fe oedd y swyddog trethi, ac roedd yn Gymro Cymraeg. Yna gwnaeth rywbeth nad oedd neb wedi'i wneud o'r blaen yng Nghymru. Gwnaeth gais syml am gael ei ffurflen dreth yn Gymraeg.

Bedwar can mlynedd cyn hynny, roedd Harri VIII wedi dweud yn hollol bendant nad oedd y Gymraeg yn iaith i'w defnyddio'n swyddogol yng Nghymru. Ni fyddai rhywun fyddai'n defnyddio'r Gymraeg yn cael swydd yng Nghymru, ac nid oedd yr iaith Gymraeg yn bwysig o gwbl. Ychwanegodd y byddai Cymru'n rhan o Loegr o hynny ymlaen. Mewn byr o dro, roedd pobl wedi peidio â defnyddio'r Gymraeg ar unrhyw beth swyddogol, ac wedi gwahardd yr iaith o ysgolion. Dyna fel roedd pethau wedi bod ers 1536.

Seliodd Eileen yr amlen a rhoi stamp arni. Y bore wedyn, fe'i postiodd.

* * *

Sylwodd Eileen ar lygaid ei phlant yn edrych arni.

"Ie," meddai Delyth, "a beth ddigwyddodd wedyn?"

"Bydd yn dawel, Delyth, a wedith Mam ragor o'r stori," meddai Elidyr.

Aeth Delyth i eistedd yng nghôl ei mam a gadael iddi fynd ymlaen â'r stori. Rhan nesaf y stori oedd hanes y rhyfeddol Mr Richards.

Gwŷs gan Mr Richards

Eisteddodd Mr Richards wrth ei ddesg a dechrau agor y pentwr o lythyrau oedd o'i flaen. Wrth ei ochr roedd paned o de, ac roedd hi'n fore braf. Roedd wedi mwynhau ei frecwast, ac edrychai ymlaen at fynd adre, a mynd a'r ci am dro. Popeth yn dwt ac yn drefnus, dyna sut yr hoffai Mr Richards i bethau fod. Os byddai unrhyw beth yn mynd o'i le, câi ei gyffroi. Dim ond i bawb gadw at y rheolau, gallai'r byd fynd yn ei flaen yn hwylus. Dyna wnâi Mr Richards yn hapus.

Ar ei ddesg roedd ganddo ddau focs. Gyda beiro goch, nodai beth oedd angen ei wneud â phob llythyr a'i roi ym mocs A. Byddai'n gosod pethau dipyn mwy cymhleth ym mocs B. Ar ôl gorffen rhannu'r llythyrau, dechreuai ateb y rhai ym mocs A. Yna, ar ôl paned arall, byddai'n troi at focs B. Yn Saesneg roedd Mr Richards yn ymateb i bob llythyr.

Ambell fore byddai galwadau'n torri ar y drefn hon, neu byddai cyfarfod staff. Ond os oedd popeth wedi mynd yn rhwydd, byddai Mr Richards yn hapus os oedd y gwaith papur wedi'i orffen erbyn amser cinio. Doedd o ddim yn cymysgu llawer â staff y swyddfa, gan nad oedd ganddo ddim ffrind agos yn eu mysg. Ond weithiau, byddai'n cytuno i fynd am ginio yn un o gaffis y dref. Fel arall, brechdan yn y cantîn oedd y drefn.

Agorodd un llythyr a synnu ei fod wedi'i ysgrifennu yn Gymraeg. Rhyw Mrs Beasley oedd wedi ysgrifennu'r llythyr, ac roedd ei chais yn un gwirion. Roedd hi eisiau ffurflen yn Gymraeg. Gwenodd Mr Richards wrtho'i hun – roedd rhai pobl ryfedd iawn yn y byd. Cododd a rhoi'r llythyr ym mocs C. I'r bocs hwn yr âi papurau'r bobl oedd yn gwrthod talu. Byddai llythyrau arbennig yn mynd at y bobl hyn yn eu rhybuddio sawl diwrnod oedd ganddyn nhw i dalu, cyn y byddai'n rhaid mynd â nhw i gyfraith.

Cwta bythefnos yn ddiweddarach, daeth ateb gan Mrs Beasley. Unwaith eto roedd yn Gymraeg, ac yn llythyr haerllug iawn. Ni chafodd Mr Richards lythyr tebyg erioed o'r blaen. Roedd y ddynes bowld hon yn datgan yn blaen wrtho na fyddai'n talu oni bai ei bod yn cael ffurflen yn Gymraeg! Rhoddodd Mr Richards y llythyr ym mocs E – llythyrau oedd angen sylw arbennig. Ysgrifennodd at y wraig yn dweud yn blaen wrthi oni bai ei bod yn talu, byddai'n rhaid iddi wynebu achos llys. Ceisiodd ddychmygu sut fath o wraig oedd y Mrs Beasley hon. O'i hysgrifen, roedd yn amlwg ei bod wedi cael addysg. Ond rhaid ei bod yn un o'r bobl oedd yn galw eu hunain yn 'Welsh Nationalists', ac wedi gwirioni'u pennau efo Cymru. Roedd wedi clywed amdanyn nhw, ond erioed wedi cwrdd ag un yn y cnawd. Un peth oedd gofyn am hawliau i Gymru, ond roedd gofyn am ffurflenni gan y Cyngor yn Gymraeg yn gwbl afresymol. Sut yn y byd fyddai geiriau Cymraeg yn ffitio ar y ffurflen? A beth bynnag, doedd dim geiriau Cymraeg ar gyfer pethau swyddogol. Roedd o ei hun yn siarad Cymraeg gartref ac yn y capel, ond Saesneg oedd iaith pethau go iawn. Wrth roi'r ateb yn yr amlen, teimlai ym mêr ei esgyrn nad oedd wedi clywed ei diwedd hi cyn belled ag roedd Mrs Beasley yn y cwestiwn.

* * *

Roedd babi Trefor ac Eileen yn ddigon o ryfeddod. Elidyr oedd ei enw, ac erbyn ei fod yn chwe mis oed, roedd yn gwenu ac yn edrych o'i gwmpas ac yn dechrau bwyta bwyd go iawn.

Roedd rhif 2, Yr Allt, yn dechrau dod i drefn, er y byddai Trefor yn treulio llawer o'i amser gyda'r nos yn peintio ac yn cael popeth i'w le. Sylwodd Eileen fel roedd ei bywyd hi wedi newid yn llwyr ers geni'r babi. Roedd cymaint mwy i'w wneud! A chan fod angen codi yn y nos i fwydo'r babi, roedd yn flinedig yn ystod y dydd. Erbyn canol dydd, byddai wedi dod i ben â'r gwaith golchi, ac edrychai ymlaen at fynd ag Elidyr am dro yn y pram. Gwyddai am sawl llwybr braf yn Llangennech, ond ble bynnag yr âi roedd yn rhaid gwthio'r pram yn ôl i fyny'r allt at y tŷ. Ar ddyddiau Sadwrn, byddai Trefor yn mynd am dro efo hi.

Curodd y postman y drws, ac roedd ganddo dri neu bedwar llythyr. Yn eu mysg, roedd un swyddogol iawn yr olwg. Gwŷs oedd hwnnw, gwŷs i ymddangos gerbron llys ynadon am nad oedden nhw wedi talu treth y Cyngor. Yn hwyrach y noson honno, ar ôl iddi roi'r babi yn ei wely, dyna oedd y testun trafod rhwng Eileen a'i gŵr.

"Fi ddyle fynd, Eileen. Dyw e ddim yn iawn gadael i ti fynd 'na dy hunan."

"Fyddet ti byth yn cael amser bant o'r gwaith. Paid â phoeni, fe fydda i'n iawn. Y peth sy'n fy mecso i fwyaf yw trefnu bod rhywun yn gofalu am Elidyr."

"Fe wnaiff Gwyneth hynny, wy'n siŵr. Awn ni dros y dadleuon, ac fe gei di ymarfer beth yn gwmws wyt ti'n mynd i'w ddweud wrthyn nhw."

"Wy wedi bod yn athrawes cofia, Trefor. Dyw siarad yn gyhoeddus ddim yn broblem i fi."

Gwenodd Trefor. "Yr un Eileen ewn wyt ti'n dal i fod, on'd ife?"

Pan gyrhaeddodd dyddiad yr achos llys, roedd Eileen wedi gwisgo'i siwt las tywyll orau. Edrychodd Trefor arni, "Rwyt ti'n smart heddi, Eileen!"

"Well i fi fod, wy'n siarad dros Gymru a'r Gymraeg."

"Rwyt ti'n fenyw a hanner!" Rhoddodd gusan iddi ar ei boch wrth adael am y gwaith, "A chofia y bydda i'n meddwl amdanat ti drwy'r dydd, ti'n gwbod 'ny."

"Odw."

"A wy'n moyn yr holl hanes pan ddo' i adre . . ."

"Falle na ddo' i adre – falle byddan nhw wedi fy nghrogi'n gyhoeddus ar sgwâr Llanelli! Falle taw dyna'r gosb i droseddwyr sy'n mynnu gofyn am ffurflenni Cymraeg!"

A chwarddodd y ddau. Roedd chwerthin yn gwneud iddi deimlo'n llawer llai nerfus.

* * *

"Fuest ti yn y llys, Mam?" holodd Elidyr. Roedd y stori wedi troi'n llawer mwy difrifol na'r disgwyl.

"Do."

"Pam na wedest ti wrthon ni?" gofynnodd ei mab.

"Do'n i ddim isie'ch becso chi," atebodd Eileen. "Babi bach oedd Delyth ar y pryd, a chrwt bach oeddet ti."

"Dwed hanes y llys," meddai Elidyr, a gwrandawodd y ddau fach yn astud. Teimlai Delyth ei bod yn gwrando ar stori ddwys iawn, ac roedd ganddi drueni dros ei mam.

Eileen yn y llys

Doedd Eileen ddim wedi bod mewn llys barn o'r blaen, a synnodd pa mor ffurfiol oedd popeth. Roedd chwerthin Trefor yn atgof pell yn ôl bellach, a theimlai ei bod ar ei phen ei hun bach. Yn fwy na hynny, teimlai ei bod wedi gwneud rhywbeth o'i le – ei bod yn rhyw fath o ddihiryn. Gwyddai fod hynny'n wirion, ond doedd neb yn ei thrin â pharch, doedd neb yn garedig efo hi. Roedd wedi cyflawni trosedd, ac roedd am orfod egluro pam. Pan ddywedodd wrth Trefor y byddai gwrthod talu'r dreth yn creu stŵr, wnaeth hi erioed feddwl y byddai'n dod i hyn.

Ond roedd angen bod yn gryf, a fydden nhw ddim yn llwyddo i godi ofn arni. Dynion oedd y lleill i gyd, swyddogion pwysig yn eu siwtiau. Ond pobl oedden nhw wedi'r cwbl, a doedden nhw ddim gwell nag Eileen Blaenweneirch. Sefyll dros y Gymraeg oedd hi.

Mynnodd y swyddog ei bod yn sefyll ar ei thraed ac yn datgan ei henw a'i chyfeiriad.

"Catherine Eileen Beasley, 2, Yr Allt, Llangennech."

"Speak up, woman, we can't hear you!" meddai'r Cadeirydd yn flin.

Gwylltiodd Eileen mwya sydyn, ac anghofiodd ei hofn. "Esgusodwch fi, ond nid dyna'r ffordd i siarad â rhywun. Dangoswch barch ata i a siaradwch yn Gymraeg, er mwyn y nefoedd!"

Gwelodd pawb yn syllu arni mewn rhyfeddod.

"Madam, this is a court case, and the language is English," meddai'r Cadeirydd. Edrychodd ar y papur o'i flaen. "Now the charge against you today, Mrs Beasley, is that you refuse to pay your council tax. Would you like to explain to the officials why that is, and is there any specific reason why you cannot pay?"

"Wy wedi ysgrifennu at Mr Richards sawl gwaith yn egluro'r sefyllfa . . ."

Cododd y dyn nesa at y Cadeirydd ei ben. “I am Mr Richards.”

“Wel, smo chi wedi egluro i’r swyddogion pam nagw i’n fodlon talu?” meddai Eileen.

“I’ve told you once, and I’ll tell you again, the language of this court is ENGLISH,” meddai’r Cadeirydd yn chwyrn.

“A wy’n dweud mai Cymraeg yw fy iaith i, a ’na’r rheswm dros yr achos llys ’ma heddi.”

“We will have to adjourn the case for a translator to be here,” meddai’r Cadeirydd.

“Do you understand Welsh?” gofynnodd Eileen iddo.

“That is neither here nor there, madam. The official language of this country and this court is English, and if you refuse to speak that language, then we will have to get a translator so that your plea will be recorded in ENGLISH. Court adjourned!”

Ni fu modd cael gafael ar gyfieithydd tan y prynhawn, ac aeth Eileen i’r lle bwyd i gael tamaid o ginio. Dilynodd gŵr ifanc hi, a gofyn a allai gael sgwrs â hi dros ginio. “Chi’n gweld, wy’n ohebydd gyda’r *Llanelly Star*.”

“Popeth yn iawn,” meddai Eileen, “ond wela i ddim sut galla i eich helpu.”

Aeth y ddau i nôl brechdan ac eistedd wrth un o'r byrddau pellaf.

"Wy'n credu y dylai eich stori fod yn y papur."

"Bobol bach, dim ond gofyn am ddarn o bapur yn Gymraeg ydw i . . . weden i ddim ei bod yn stori bapur newydd."

"Y teimlad sy gyda fi yw y bydd eich cais yn cael ei wrthod."

Ochneidiodd Eileen. "Fyddai hwnna ddim yn fy synnu i, rhaid cyfadde."

"A'r cwestiwn mowr, Mrs Beasley, yw – beth nesa?"

"Aros, siŵr o fod."

"Wnaiff y Cyngor ddim aros am fisoedd lawer i chi dalu."

"Os y'n nhw am gael eu harian, mae'n well iddyn nhw gyfieithu'r ffurflen yn glou."

"Ac os na wnân nhw, beth wnewch chi?"

Dechreuodd Eileen feddwl am Elidyr. Byddai'n rhaid iddi ddod o hyd i flwch ffôn i weld a oedd hi'n iawn i Gwyneth ofalu amdano am y prynhawn, neu tan y dôi hi'n ôl. Wyddai hi ddim pryd y câi hi fws yn ôl i Langennech.

"Beth wnewch chi, Mrs Beasley, os na chewch chi ffurflen Gymraeg?" gofynnodd y gohebydd eto. Syllodd hithau ar ei wyneb a'i lygaid eiddgar. Doedd ganddi ddim ateb i'w gwestiwn. Wyddai hi ddim beth fyddai'n digwydd. Problem y Cyngor oedd hynny. Gwyddai nad oedd yn broblem fawr. Dim ond mater o gyfieithu'r geiriau ac argraffu'r ffurflen oedd hi. Sut oedd hynny'n broblem iddi hi?

"Fyddwch chi'n ildio yn y diwedd, Mrs Beasley?"

"Wrth gwrs na fydda i. Pam dylwn i? Rhaid i chi fy esgusodi nawr, mae'n rhaid i mi fynd i whilo am ffôn."

"Ody hi'n iawn i mi eich dyfynnu yn y papur, Mrs Beasley?"

"Ody – os oes 'na stori werth ei hysgrifennu."

Yn y prynhawn, bu'n rhaid iddi ateb cwestiwn Saesneg y Cadeirydd. "Mrs Beasley, the charge against you is that you refuse to pay your Council Tax. Would you like to explain to the officials why that is, and is there any specific reason why you cannot pay?" Ond bob tro yr atebodd Eileen yn Gymraeg, roedd yn rhaid iddi aros nes bod y cyfieithydd yn adrodd pob brawddeg yn Saesneg. Roedd y cyfan yn ddiflas iawn. Ar ddiwedd y sesiwn, dywedodd y Cadeirydd y byddai'n rhaid iddi dalu, neu byddai'r Cyngor yn anfon y beilis i fynd ag eiddo o'r tŷ, "And we don't want that to happen, do we, Mrs Beasley?" meddai, gyda gwên. Roedd hi'n wên fel gwên cath cyn dal llygoden, meddyliodd Eileen. Neu gwên teigr, a bod yn fanwl gywir. Mwya sydyn, teimlodd flinder mawr yn dod drosti wrth iddi gerdded i ddal y bws.

* * *

"A dyna hanes y llys i chi," meddai Eileen. "Dyna chi'n gwybod nawr."

"A dyna ddiwedd y stori?" gofynnodd Delyth. Er ei bod yn stori drist, teimlai'n saff yng nghôl ei mam. Roedd yn well na stori o lyfr – roedd yn stori go iawn.

"Ond smo 'na'n dy neud di'n *convict*," meddai Elidyr.

"Nag yw, smo 'na'n fy ngwneud i'n ddihiryn – cei di'r pleser o ddweud wrth Ianto Nant y Gro ei fod e'n anghywir," meddai ei fam.

"Odyn nhw'n mynd i roi ffurflen Gymraeg inni nawr?" holodd Elidyr.

"Ysgrifennes lythyr atyn nhw dros chwe mis yn ôl yn gofyn iddyn nhw beth sy'n digwydd," meddai eu mam. "Fe ges i ateb yr wythnos dwetha."

"Oedd e'n ateb hapus?" gofynnodd Delyth. Roedd yn gas ganddi stori oedd yn gorffen yn drist.

"Maen nhw isie i fi fynd i'r llys unwaith 'to."

Cododd Elidyr ei lygaid. "Beth yw'r broblem?" gofynnodd.

"'Na beth licen i gael gwybod," meddai ei fam. "Sa i'n gofyn am rywbeth cymhleth iawn – dim ond dipyn o Gymraeg ar damed o ffurflen . . . Ond unwaith 'to, fe fydden nhw'n gofyn i fi dderbyn ffurflen Saesneg. Beth ddylwn i ei wneud?"

"Dweud na!" atebodd Delyth yn bendant. Petai pethau'n dod i'r pen, byddai'n mynd gyda'i mam i'r llys ac yn egluro nad oedd synnwyr mewn bod mor styfnig.

"Ond os ddwedi di na, beth wnân nhw wedyn?" holodd Elidyr yn ofidus. Roedd y gair *convict* wedi'i ddychryn. "Odyn nhw'n mynd i dy roi di yn y carchar?"

Cofleidiodd Eileen ei mab, "Wnân nhw byth mo 'ny, felly paid â becso. Ond fe allen nhw hala'r beili draw."

"Beth yw beili?" gofynnodd Delyth. Roedd cymaint i'w ddeall ym myd oedolion.

"Dyn sy'n dod i'ch tŷ i gymryd arian," eglurodd ei mam. "Ac os nag y'ch chi'n rhoi'r arian iddo fe, bydd e'n mynd â chelfi o'ch tŷ."

"Wnaiff e byth mo 'ny!" meddai Delyth.

"Ro'n inne'n gobeithio na fydde fe'n dod i hynny, ond mae Cyngor Llanelli yn bobol styfnig iawn. Allwn ni wneud dim, mae arna i ofn."

"'Sen i'n ti, fydden i ddim yn agor y drws i Mr Beili," meddai Delyth.

Gwenodd Eileen. Roedd popeth mor syml iddi hi.

Mademoiselle Delyth

Roedd Elidyr wedi dal y bws i'r ysgol, ac roedd Delyth wrth y piano unwaith eto. Roedd hi eisiau dysgu chwarae alaw. Bu Ewythr Tom a Modryb Pegi draw neithiwr, ac roedd Anti Pegi wedi dangos iddi sut oedd chwarae llinell gyntaf 'Iesu Tirion' – *mi, mi, ffa, mi* . . .

Drato, allai hi ddim cofio sut oedd yr alaw yn mynd . . . *mi, ffa, so, mi; ffa, mi, re* . . . Dyna fe! Fel'na roedd y diwn yn mynd! Gallai ganu gyda'r alaw!

"Delyth!" rhuthrodd ei mam i mewn i'r stafell fyw. "Bydd dawel! Smo ti'n cofio? Mae Dad yn cysgu! Gad y piano 'na nawr!"

Drato, drato, drato, meddyliodd Delyth. Y peth gwaethaf oedd deffro Dad pan oedd o'n gweithio 'tyrn nos'. Byddai'n dod adre am saith y bore, ac yn cysgu drwy'r dydd tan tua amser te. A phan oedd Dad yn cysgu, roedd hi'n Ddiwrnod Diflas Iawn. Ond dyna sut roedd hi i'r rhan fwyaf o blant y pentref os oedd eu tadau'n gweithio yn y pwll glo. Cenfigennai wrth Elidyr. Câi wneud faint fynnai o sŵn yn yr ysgol. Roedd yn hen bryd iddi hithau gael mynd yno.

Aeth i eistedd ar y soffa a syllu ar y lle tân lle roedd lludw'r noson cynt i'w weld. Mor farwaidd oedd hi o'i gymharu â neithiwr! Roedd hi'n stafell gwbl wahanol. Neithiwr, gydag ymwelwyr yn sgwrsio, roedd awyrgylch glyd iawn yno. Roedd Delyth, fel ei rhieni, wrth ei bodd yn cael ymwelwyr draw. Ar y soffa roedd siâp pobl ar y clustogau. Ond roedd y teimlad cynnes braf wedi mynd, a'r ysbryd o gwmnïaeth a rhannu hefyd. Ac er bod Anti Pegi wedi dysgu alaw newydd iddi, doedd hi ddim yn cael chwarae'r piano.

Cododd ei llygaid i edrych ar y drych uwchben y lle tân; roedd o'n ddrych crand – anrheg briodas a gafodd ei rhieni gan Anti Gwyneth. Ni allai weld dim yn y drych, gan ei fod yn rhy uchel ar y wal. Roedd uwchben y lle tân yn lle ffôl i roi drych. Beth petai rhywun yn mynd rhy agos ato, a bod eu dillad yn mynd ar dân? Neithiwr, roedd Wncwl Tom wedi cario Delyth ar ei ysgwyddau, a dyna'r tro cyntaf iddi weld ei hadlewyrchiad mewn drych. Ond erbyn heddiw, doedd y drych yn dda i ddim iddi gan mai dim ond adlewyrchiad o'r wal gyferbyn a welai hi ynddo. Biti na fyddai mewn lle callach, ac yna gallai esgus mai hi oedd Eira Wen a'i holi pwy oedd y ferch dlysaf yn y byd.

Aeth at ddesg ei thad ac eistedd yn y gadair. Roedd ei thad

yn treulio llawer iawn o'i amser wrth ei ddesg, yn ysgrifennu llythyrau ac yn Gwneud Pethau Pwysig Iawn. Hoffai allu codi'r 'roll top' ac ysgrifennu neu wneud llun, ond châi hi ddim cyffwrdd y ddesg a 'phapurau Dad'. Sut oedd disgwyl iddi ddysgu ysgrifennu os na châi ymarfer? Doedd ganddi ddim byd i'w wneud. Aeth i'r gegin i chwilio am ei mam.

Wrth y stof fawr oedd ei mam yn berwi rhywbeth ac arogl annifyr arno.

"Sdim byd 'da fi i'w wneud, Mam," meddai'n brudd.

"Paid â chonan, Delyth, dim ond achos bo' ti ddim yn cael chwarae'r piano. Rho ddwy funud i mi, a 'nawn dipyn o Ffrangeg."

"Gaf i nôl y llyfr?" gofynnodd Delyth, wedi sioncio drwyddi.

"*Oui, mademoiselle*," atebodd ei mam. "*Au revoir*."

Yn y stafell fyw y cadwai Mam y llyfr lluniau hardd oedd ganddi. Aeth Delyth i'w nôl a'i agor ar fwrdd y gegin.

"Rho ddwy funud i fi, a bydda i gyda ti whap," meddai ei mam. "Cer drwy'r dudalen â lluniau anifeiliaid."

"*Chien et chat*," meddai Delyth.

"A beth yw 'ny?"

"Ci a chath," atebodd. Roedd hynny'n eitha amlwg; dim ond edrych ar y llun roedd raid iddi ei wneud.

"Beth yw '*le chien blanc*'?"

"Ci du!"

"Nage, gwyn, groten!" meddai ei mam, gan gymryd arni ei bod yn flin.

Hoffai Delyth weld ei mam yn actio bod yn athrawes. Roedd yn athrawes dda. Roedd Delyth wedi dysgu enwau'r lliwiau yn Ffrangeg, ac yn dechrau dysgu enwau anifeiliaid. Bob hyn a hyn, byddai Eileen yn ceisio cael ei phlant i siarad Ffrangeg wrth y bwrdd bwyd, ond bydden nhw'n chwerthin gormod. Byddai ei thad yn cael digon yn y diwedd, ac yn dweud, "*Assez, assez*! Wy'n ffaelu deall gair chi'n weud!" a byddai pawb yn chwerthin mwy.

Bu'r wers y diwrnod hwnnw yn un gwbl wahanol. Rhoddodd ei mam wahanol lysiau a ffrwythau ar y bwrdd a dweud beth oedd enw pob un yn Ffrangeg. Cuddiai ambell un ohonyn nhw, ac roedd yn rhaid iddi hi, Delyth, ei enwi yn Ffrangeg cyn y dôi yn ôl. Roedd y wers yn sbort mawr, ac anghofiodd Delyth am y piano. Buan y daeth yn amser cinio, a syllodd Eileen ar y llysiau.

"Bydden well 'sen i wedi'u coginio nhw tra o'n i'n dysgu'r enwau i ti," meddai.

"Fydde hynna ddim wedi bod yn gymaint o hwyl," meddai Delyth.

"O leia bydde 'da ni rywbeth i'w fwyta," meddai ei mam. "Mae bwyd ym mola plentyn yn well na Ffrangeg yn ei ben."

"Pam na chawn ni Ginio Dyn Tlawd?"

"Cinio Dyn Tlawd fydd raid iddi fod, mae arna i ofon, does dim byd arall."

Roedd Delyth wrth ei bodd â Chinio Dyn Tlawd am ei fod mor wahanol i'r tatws, llysiau a chig arferol. Fe gaen nhw gwlffyn o fara, darn o gaws a betys neu domato gydag ef. Ond mynnai ei mam fod 'pryd iawn' yn fwy maethlon.

"Mae'r menyn yn ffein," meddai Delyth. "Beth yw menyn yn Ffrangeg?"

"*Le beurre*. Menyn Mrs Lewis drws nesa yw e. Mae'n gwneud menyn a'i werthu er mwyn cael arian i brynu margarine." Gwraig od oedd Mrs Lewis Drws Nesa.

"Roedd 'da ni ddysgl menyn arbennig iawn gartre ym Mlaenweneirch," meddai Eileen. "Un wen, a rhimyn aur arni."

"Wnei di ei dangos i fi y tro nesaf y byddwn ni'n mynd i weld Data?" holodd Delyth.

"Gwnaf wrth gwrs. Ac fe gaiff Data a fi adrodd hanes y gwahanol lestri sy ar y ddresel."

Un arall o hoff beth Delyth oedd cael mynd ar wyliau i dŷ Data, ei thad-cu. Roedd ei mam-gu wedi marw cyn iddi gael ei geni. Fe fydden nhw'n mynd yno ar y trên. Gan fod Data'n byw ar fferm, roedd yn lle prysur ac roedd rhywbeth i'w wneud bob amser yno.

Roedd Eileen yn dal i feddwl am y ddresel. "Un o'm hoff lestri yw cwpan a llythrennau'r wyddor arni. A ti'n gw'bod beth yw'r lluniau arni? Lluniau bysedd yn egluro'r wyddor i bobol fyddar."

"Pa fath o wyddor yw honno?" gofynnodd Delyth, ac eglurodd ei mam. Byddai Delyth wrth ei bodd yn cael sgyrsiau fel hyn â'i mam. Pan fyddai Elidyr a'i thad wrth y bwrdd, anodd oedd cael ei phig i mewn, ond yn ystod y dydd, ar adegau fel hyn, câi holl sylw ei mam.

"Mae'n hen bryd golchi'r llestri hyn, neu bydd yn amser mynd i nôl Elidyr," meddai ei mam.

"Ond ry'ch chi'n addo rhoi hanes y ddresel i fi pan awn i Flaenweneirch?"

"Odw. Fi sy berchen hi a gweud y gwir. Mae Mam-gu wedi'i rhoi i fi, achos taw'r ferch hyna yn y teulu sy'n ei chael bob tro. Ymhen amser, daw hi'n eiddo i ti."

"Ond Elidyr yw'r hyna," meddai Delyth.

"Ti yw'r ferch hyna," meddai ei mam, "a ti gaiff y ddresel."

Drwy weddill y dydd, teimlai Delyth yn wahanol. Drwy ei hoes, roedd wedi arfer â'r ffaith mai hi oedd bach y nyth. Ond y diwrnod hwnnw, roedd yn teimlo'n dipyn yn uwch. Hi oedd merch hynaf teulu'r Beasleys, a hi oedd etifedd dresel ei mam-gu.

Trefor a'r lord

Fyddai ei thad ddim yn y gwely drwy'r dydd. Y diwrnod hwnnw, deffrodd tua thri o'r gloch y prynhawn a dod i lawr y grisiau. Gan fod ei thad wedi deffro, doedd dim raid i Delyth fynd efo'i mam i nôl Elidyr. Ar ôl i'w thad gael paned o de a darn o dôst, aeth ati i wneud y tân. Un o hoff bleserau Delyth oedd gwylio'i thad yn cyflawni'r ddefod hon. Trefn y cyfan oedd yn ei rhyfeddu hi, fod ei thad yn gwybod yn union beth i'w wneud nesaf. Un tro, roedd Elidyr a hithau wedi penderfynu gwneud y tân i arbed eu tad, ond fe wnaethon nhw smonach ohoni. Gobaith Delyth oedd, petai'n ei wylio ddigon aml, y byddai'n dysgu'n naturiol beth oedd yr holl gamau.

Ar ôl i'w mam adael, eisteddodd Delyth ar y stôl fechan wrth y lle tân a gwylio'i thad yn cario'r bwcedaid o lo i mewn.

"Nag yw e'n rhyfedd, Dad?" meddai Delyth yn feddylgar.

"Beth nawr, groten?"

"Dy fod di'n gweithio yn y pwll drwy'r nos, a phan wyt ti'n codi, y peth cynta ti'n ei wneud yw cario glo."

"So 'na'n rhyfedd iawn," meddai ei thad, gan benlinio i

glirio'r lludw. "Heb lo, fydde dyn ddim byw. Wel, fe alle fe fyw, ond bydde fe'n fywyd oer iawn – a digysur."

"Dyw'r stafell hon ddim yr un peth heb dân yn y grât," meddai Delyth, a sôn fel yr oedd wedi eistedd ynddi'r bore hwnnw a gweld siapiau pobl yn y clustogau.

"Wyt ti'n hoffi gweithio yn y pwll, Dad?" holodd Delyth.

Gan osod y coed tân ar waelod y grât, meddyliodd Trefor. Dyna gwestiynau od roedd y groten hon yn eu gofyn! Doedd neb wedi gofyn hynny iddo o'r blaen.

"Ma' fe'n jobyn o waith, Delyth – ac wy'n lwcus i gael gwaith. Ond bydde'n well 'da fi fod wedi cael addysg."

"Beth wyt ti'n ei wneud yn y pwll?"

"Wy ar 'yn arre – yn 'y nghwrcwd – ran amlaf yn agor ffas," atebodd, gan egluro mai nhw oedd y dynion cyntaf i weithio ar wyneb y graig. Eu gwaith oedd tyllu a chloddio nes bod twnnel wedi'i agor, yna roedd raid gosod y *pit props*. Roedd y geiriau hyn yn ddieithr i Delyth.

"*Pit props* yw darnau mawr o bren, estyll . . . ac mae raid eu dodi i ddala'r graig yn ei lle. Wrth roi'r *pit props* yn eu lle, mae'n gwneud y twnnel yn saff i weithwyr eraill gael mynd drwyddo."

Roedd y syniad o weithio dan y ddaear yn un dychrynllyd i

Delyth. "Ai colier o't ti isie bod pan o't ti'r un oedran â fi?" gofynnodd.

"Colier oedd 'nhad a 'nhad-cu," meddai, "ond garddwr o'n i gynta – yn bedair ar ddeg oed – 'bach yn hŷn nag yw Elidyr nawr."

"O't ti'n hoffi garddio?"

"O'n, ro'n i'n cael bod yn yr awyr iach," meddai Trefor. O bellafion y cof, daeth yr olygfa ohono'n fachgen ifanc yn ôl iddo. Fe a Harri'r garddwr hŷn.

* * *

Gofalu am ardd y lord lleol oedd y gwaith. Un da oedd Harri; drwyddo fo y dechreuodd Trefor gymryd diddordeb mewn potsio. Gwyddai Harri ble i gael yr eog gorau, a ble i ddal cwningen! Un diwrnod, roedd Harri ar ei liniau yn chwynnu yn y gwely rhosod.

"Beth y'ch chi isie i fi ei neud nawr, Harri?" holodd Trefor yn eiddgar.

Gwenodd Harri iddo'i hun. Dyna braf oedd cael cwmni'r crwt. Roedd Trefor yn fachgen clyfar ac yn awyddus i ddysgu. "Wyt ti wedi cymoni'r celfi yn y ddou gwt fel y gofynnes i ti neud?"

"Do, Harri."

"Wyt ti'n meddwl y gallet ti fynd â'r whilber at y domen i'w gwagio? Y whilber fawr nawr, so ti wedi trin honno o'r blaen. Fyddwn i'n ei neud e fy hunan, ond mae'r gwynegon yn boenus heddi."

"Wrth gwrs y galla, Harri."

"A chymer ofal! Mae'r lord ambytu'r lle heddi!" gwaeddodd Harri, ond ni chlywodd Trefor o, roedd wedi rhedeg fel y gwynt at y ferfa.

Nawr, falle fod Trefor wedi gweld y lord yn dod tuag ato, falle nad oedd o, a'i fod yn canolbwyntio'n llwyr ar wthio'r ferfa tua pen ei thaith. Stopiodd y lord o. "Good morning, young Trevor."

"Good morning."

"'Good morning, sir,' boy."

"Good morning, sir," meddai Trefor yn flin. Roedd yn gas ganddo bobl bwysig oedd yn taflu ei pwysau, ac roedd yn flin am fod pwysau'r ferfa yn rhy drwm. Petai'r lord wedi gofyn iddo, byddai wedi'i gadael yn y fan a'r lle, ond roedd Trefor eisiau plesio Harri.

"And Trevor, when you address me, you take your cap off – it's a sign of respect."

Edrychodd Trefor arno'n syn, a bu tawelwch anghyfforddus.

"Did you hear me, young Trevor?"

"I did - sir."

"Then, will you behave like a gentleman, and take off your cap?"

"No, sir."

"Why, may I ask?"

Cofiodd Trefor beth roedd ei dad yn ei ddweud yn aml. "Because all men were created equal - sir."

"Well, in that case," meddai'r lord, gan wasgu ei wefusau mewn tymer, "you can fend for yourself. If we're all equal, then you don't need me as an employer."

Doedd Trefor ddim yn siŵr beth oedd ystyr hyn.

"You're sacked, you insolent lad! Don't ever let me see you here again. Leave that wheelbarrow where it is, and clear off."

Ni chafodd Trefor gerydd gan ei dad y noson honno. Do, fe ochneidiodd gan fod colli cyflog wastad yn gur pen. Ond roedd ei fab wedi cadw ei hunan-barch, ac roedd yn falch ohono.

"Diawled y'n nhw i gyd, Trefor. 'Hysbys y dengys dyn o ba radd y bo'i wreiddyn'. Tase arian i'w wneud o ferwi chwain, fydde'r tacle hyn ddim yn hir yn troi at hynny."

* * *

"Oes, Delyth, mae 'da fi hiraeth ar ôl Harri," meddai Trefor yn benisel.

"Trueni drosot ti, Dad," meddai Delyth, yn mwynhau'r stori dda.

"Gallen i fod wedi dechre gweithio yn y pwll yr oedran hwnnw," meddai ei thad, "Ond roedd Dat wedi mynd i drwbwl am ffurfio undeb. Undeb yw dynion yn dod at ei gilydd i ffurfio gang, ac mae dynion mewn gang wastad yn gryfach na phawb ar ei ben ei hun."

“Mae gan Elidyr gang, ond fi yw’r unig ferch sy’n perthyn iddi.”

“Da iawn, bach. Felly achos bod Dat wedi cychwyn undeb, roedd rheolwr y pwll wedi dechre troi’n gas tuag ato. Bu raid iddo adael y gwaith, a wedodd y rheolwr, ‘Beasley – out you go. You – nor any of your sons – will ever work here again,’ a bu raid inni symud bant.”

“Beth wnest ti ar ôl cael stŵr gan y lord?”

“Gweithio mewn melin leol – melin goed.”

Meddyliodd Delyth p’run hoffai hi fwyaf, garddio ynteu gweithio mewn melin goed.

“Wnaeth y jobyn hwnnw ddim para’n hir,” meddai Trefor. Ar ôl gwasgu’r papur newydd yn beli, a gosod priciau coed tân mewn patrwm croes ar eu pennnau, roedd o’n gosod y darnau glo yn ofalus ar ben y cyfan. Roedd y ddefod ddyddiol bron wedi’i gorffen.

“Wnes i’n gwmws fel Dat, a mynd ati i ffurfio undeb. Cyn bo hir, ro’n i wedi cael y sac – wedi colli ’ngwaith.”

“Pam ro’n nhw’n credu fod ffurfio undeb yn beth drwg?” holodd Delyth. Doedd y peth ddim yn gwneud synnwyr iddi hi. “Peth da yw dynion yn carco’i gilydd.”

Chwarddodd ei thad. “Nage fel’na mae’r rheolwyr yn ei

gweld hi, Delyth. Os yw dynion mewn undeb yn gofyn am well amodau gwaith, jawch erioed, rhaid i'r meistr wario rhagor o arian ar wneud y lle yn saff a thalu cyflog teg i'r gweithwyr! Nage dyna ble mae'r meistr yn hoffi gweld yr arian, ond yn ei boced e ei hunan!" a thrawodd ei boced gan wneud i'r newid mân dincial.

"Dyw hynna ddim yn deg iawn. Ddyle pawb rannu. Maen nhw'n ein dysgu ni, blant, i rannu."

"Un wers syml mae'n rhaid i ti ei dysgu am bobol fawr, Delyth. Dyw pobol gyfoethog ddim yn rhannu. Dyna pam maen nhw'n gyfoethog. Mae pobol gyffredin yn rhannu – a 'na'r peth cywir i'w wneud. So ti damed gwell o addoli arian."

A gyda hynny, cododd Trefor Beasley y bwced glo, ac allan ag o. Cododd Delyth oddi ar y stôl a'i ddilyn. Roedd am wybod diwedd y stori.

"Beth wnest ti ar ôl cael dy hala o'r felin goed, Dad?"

Edrychodd ei thad arni a rhoi winc. "Jengid o gartre."

Cododd Delyth ei haeliau. Wyddai hi 'run o'r storïau hyn am ei thad. "Dianc? Oddi wrth beth?"

"Jest mynd," meddai ei thad, mwyaf di-ffrwt. "Ambell waith, mae'n rhaid i bobol ifanc adael cartre, ac o'n i'n ysu i fynd. Ro'n i moyn mynd i Sbaen i ymladd Franco."

"Pwy oedd e?"

"Stori arall yw honno. Ti wedi cael dy wala o straeon nawr."

"Do'n i ddim yn gwybod dy fod ti wedi bod yn filwr," meddai Delyth, a'i llygaid fel soseri. Roedd hyn yn gynhyrfus – roedd yn ferch i filwr ac i *convict*!

"Fues i ddim yn filwr. Fe wnaeth Dat ddala lan 'da fi. Fel ro'n i am ddala'r llong i Sbaen, fe ddaeth o hyd i mi, a'n hala i adre."

"'Na lwcus!"

"Lwcus ac anlwcus. Roedd yn rhaid i fi ddod adre achos fod Mam yn wael. Ac ymhen misoedd, roedd hi wedi marw. Fi oedd yr ieuenga o wyth o blant. Roedd hi'n galed arnon ni wedi 'ny."

Gwyliodd Delyth ei thad yn cerdded i ffwrdd, wedi suddo mewn môr o atgofion.

Mr Beili'n galw

Smwddio yn y gegin roedd Eileen pan ddaeth Delyth ati hi.

"Mae dyn dieithr yn y drws, Mam."

"Postmon yw e, Delyth, dim dyn dieithr."

"Na, mae dou ddyn yna, Mam, ac maen nhw'n moyn dod mewn."

Roedd rhywbeth yn llais ei merch a gododd ofn ar Eileen. Pwy ar y ddaear oedd yno? Aeth at y drws. Ofn mwya Eileen oedd fod damwain wedi bod yn y pwll, a bod Trefor wedi cael niwed. Roedd Delyth wedi bod yn gwylio'r dynion drwy'r ffenest. Roedden nhw wedi dod mewn fan ac wedi ei gweld hi. Fel arfer, byddai cymdogion yn cerdded i mewn, neu byddai pobl ddieithr yn gwenu arni. Wnaeth y rhain ddim byd ond edrych arni, a'i gwneud yn amlwg y dylai fynd i nôl rhywun. Doedd Delyth ddim yn hoffi eu golwg. Agorodd ei mam y drws. Edrychodd y ddau ddyn arni, ond heb ddweud dim.

"Beth yn y byd sy'n bod?" gofynnodd Eileen."Dwedwch rywbeth, wnewch chi! Oes damwain wedi bod?"

"Nagoes. O'r Cyngor y'n ni. Fi yw Mr Davies."

"A fi yw Mr Lewis. Beilis y'n ni."

Syllodd Eileen arnynt. "Beilis?"

"Yn ôl yr wybodaeth sydd 'da ni, dy'ch chi ddim wedi talu'r dreth, ac felly ry'n ni wedi dod i gymryd eich eiddo chi."

Allai Delyth ddim credu'r hyn a glywai. Beilis? Rhywfodd, roedd wedi gwneud lluniau angenfilod yn ei meddwl wrth ddychmygu beilis. Dynion oedden nhw wedi'r cwbl. A allai Eileen ddim credu bod y Cyngor wedi mynd mor bell â hyn. Gwyddai eu bod wedi bygwth eu hanfon, ond peth cwbl wahanol oedd gweld dau ar garreg y drws.

"Bydde'n well i ni ddod i mewn, Mrs Beasley. Ry'n ni'n gwybod bod cael galwad gan bobol fel ni yn gallu codi cywilydd."

"Sdim cywilydd arna i," atebodd Eileen, gan adael iddyn nhw ddod i mewn.

Drato, meddyliodd Delyth, roedd hynny'n gamgymeriad. Dylai ei mam fod wedi'u gadael y tu allan.

"Chi'n gwybod pam wy'n gwrthod talu?" holodd Eileen.

"Na, dy'n ni ddim yn mynd i mewn i amgylchiadau personol pobol."

"Fe 'weda i wrthoch chi. Os trefnwch chi mod i'n cael ffurflen Gymraeg, fe dala i'r swm heddi. Sa i'n gwybod pam mae pethau wedi cyrraedd y pwynt 'ma. Wy wedi egluro droeon i'r Cyngor."

Edrychodd Mr Lewis ar y carped.

"Mrs Beasley," meddai Mr Davies, "y cwbwl ry'n ni'n ei wybod yw fod raid inni gymryd celfi o'ch tŷ chi heddi – yn gyfwerth â'r swm o wyth bunt. Ydych chi isie awgrymu rhywbeth penodol?" gofynnodd, yn edrych o'i gwmpas.

"Sa i isie i chi gymryd unrhyw beth o 'ma," meddai Eileen. "Ewch yn ôl at y Cyngor, a dywedwch wrth Mr Richards . . ."

"Mrs Beasley," torrodd Mr Davies ar ei thraws, "dy'ch chi ddim yn deall. Chawn ni ddim gadael y cyfeiriad hwn heddi, heb ein bod ni'n mynd â pheth o'ch eiddo 'da ni sy'n gyfwerth ag wyth bunt."

Roedden nhw o ddifri. Roedden nhw wedi dod i'w thŷ i gymryd eiddo. Doedden nhw ddim am adael. Doedd dim amser i aros nes byddai Trefor yn dod adref. Byddai'n mynd yn benwan.

Teimlai Delyth ei bod wedi rhewi yn y fan a'r lle. Allai hi ddim symud o gwbl. Roedd eisiau gweiddi ar y ddau ddyn dieithr, ond allai hi ddim. Felly dim ond edrych wnaeth hi. Aeth i sefyll wrth ochr ei mam i'w chefnogi.

Edrychodd y beili ar y ffurflen a datgan yn oeraidd, "Catherine Eileen Beasley, fel swyddog i'r Cyngor mae'n rhaid i mi gymryd offer o'ch tŷ sy'n gyfwerth â'r bil o wyth bunt ry'ch chi'n gwrthod ei dalu."

"Anghywir. Wy'n berffaith barod i dalu fe os rhowch chi ffurflen Gymraeg i fi."

"Licech chi i ni ddewis, Mrs Beasley?" mentrodd Mr Davies. "Allwn ni ddim aros yn hir."

"Beth sy'n werth wyth bunt?" holodd Eileen. Teimlodd Delyth law ei mam yn gafael yn ei llaw hi.

Roedd Mr Lewis yn mynd o amgylch gyda llyfr yn nodi gwahanol bethau a welai yn y stafell fyw. "Mae'n debyg taw'r piano sydd agosaf at y swm hwnnw."

"Na!" clywodd Delyth ei hun yn gweiddi. Teimlodd law ei mam yn gwasgu ei llaw yn dynn.

"Mr Davies, gewch chi gymryd unrhyw beth o'r stafell hon, ond plis, peidiwch mynd â'r piano."

Edrychodd y ddau ddyn ar ei gilydd, nodio, a dechrau symud y piano.

"Chi'n gweld, Delyth bia'r piano, a bydde hi'n torri ei chalon . . ."

"Mrs Beasley, peidiwch â gwneud pethau'n anodd. Os mai piano'r groten fach yw e, wel talwch y bil a fydd dim raid i neb golli dagrau."

A dyma'r ddau ddyn yn codi'r piano oddi ar y carped a'i gario o'r stafell a thrwy'r drws ffrynt. Roedd y piano'n mynd. Daeth y dyn yn ôl atyn nhw efo darn o bapur. Edrychodd yn sarrug ar Eileen a dweud, "Allwn ni neud hyn mewn ffordd wâr, Mrs Beasley, neu fe allwn ni ei wneud y ffordd anodd. Eich dewis chi yw e."

"A shwt fyddech chi'n teimlo tase rhywun yn dod i'ch tŷ chi a chymryd eich celfi?"

"Dim ond neud fy ngwaith odw i."

"A tasech chi'n cael ordors i 'nghrogi i, 'dim ond gwneud eich gwaith' fyddech chi bryd 'ny hefyd, ife ? Oes 'na ben draw ar yr hyn y'ch chi'n barod i'w neud?"

"Cymro Cymraeg o Drimsaran odw i, Mrs Beasley. Peidiwch

â dod â fi i mewn i'r mater."

"Ry'ch chi'n cynnal y drefen, ry'ch chi'n gwneud y gwaith brwnt drostyn nhw."

"Chi sy wedi torri'r gyfraith, nage fi," meddai'r beili.

"Pa drosedd yw gofyn am ffurflen yn Gymraeg?"

"Gobeithio na fydd raid inni ddod 'ma 'to," oedd geiriau olaf Mr Davies. "Mae'n rhaid i fi roi hwn i chi."

Wrth i'w mam gymryd y darn papur, sylwodd Delyth fod ei dwylo'n crynu. Darllenodd Eileen y geiriau arno:

Llanelly District Council

One piano – to the value of £8.00.

Roedd hyd yn oed y dderbynneb yn Saesneg.

Gwyliodd Delyth y fan yn gadael, a theimlodd law ei mam yn mwytho'i phen. Aeth y ddwy i'r stafell fyw, ac edrychai'r lle yn ddieithr heb y piano.

"Mae'n ddrwg 'da fi, Delyth," meddai ei mam. "Mae'n ddrwg 'da fi taw'r piano ddewison nhw."

"Hen ddynion drwg o'n nhw," meddai Delyth. "Doedd dim ots 'da nhw amdanon ni o gwbwl."

"Dere i'r gegin," meddai ei mam, "inni gael tamed o gysur. Sa i'n moyn bod yn y stafell hon."

Yn y gegin roedd pethau'n well. Roedd Mot wrth ei hymyl a

châi Delyth gysur o fwytho'i ben. Lwc na chymerodd y beili Mot oddi wrthyn nhw neu byddai ei byd wedi'i chwalu'n llwyr hebddo.

"Wyt ti'n deall pam fod hyn yn digwydd, Delyth? Mae'n bwysig dy fod yn deall."

Nodiodd Delyth, "Am ein bod ni'n moyn ffurflen Gymraeg."

"Ie, mae'r Cyngor yn gobeithio y byddwn ni'n torri ein calonnau wedi colli'r piano, ac y byddwn yn bodloni ar ffurflen Saesneg."

"Sdim ots, Mam. Er, wy'n drist fod y piano wedi mynd," cyfaddefodd Delyth. Er bod Mot ganddi, wyddai Delyth ddim beth wnâi hi heb y piano.

"Weithie, mae'r ffordd arall yn rhwyddach," eglurodd ei mam, "yn llawer haws. Y peth rhwydda yn y byd fyddai i mi fod wedi talu'r bil a chadw'r piano. Ond os gwnawn ni'r peth caled, fe fyddwn ni wedi neud y peth iawn, Delyth – a 'na beth sy'n bwysig. Dal ati."

"Wy'n gwybod," meddai Delyth, "a does dim eisie i ti deimlo'n drist achos fi. Rwyt ti wedi egluro popeth i mi, Mam, ac mae plant yn deall llawer mwy na mae pobol yn ei feddwl."

"Nghroten fach i," meddai ei mam gan wenu. "Weithie, falle eich bod chi'n deall yn well."

Heb yn wybod i'w mam, roedd gan Delyth gynlluniau mawr yn ei phen, ond soniodd hi 'run gair wrth neb arall.

Perthyn i gang

Daeth y piano yn ei ôl. Ar ôl i'r Cyngor ei werthu, daeth aelodau Plaid Cymru at ei gilydd, casglu arian, a phrynu'r piano. Cyn pen dim, roedd yn ôl yn stafell fyw'r Beasleys. Roedd Delyth uwchben ei digon. Bu'n chwarae mwy nag erioed arno, a chyn pen dim, roedd wedi meistroli'r alaw ddysgodd Anti Pegi iddi. Gallai ganu do-re-mi, a hynny heb edrych. Gallai ganu cân Anti Pegi ar wahân i'r un tro pan anghofiai daro'r nodyn du. Ond drwy ymarfer bob dydd, fe ddaeth. Ar ei phen-blwydd yn bump oed, cafodd lyfr o donau i'w chwarae ar y piano.

Wnaeth y pleser ddim para'n hir. Digwyddodd yr un peth yn union eto. Yr unig wahaniaeth oedd nad oedd Delyth gartre pan ddaeth y beilis yr ail dro. Erbyn hynny, roedd hi'n ddigon hen i fynd i'r ysgol. Dyna falch oedd hi! Nawr, bob bore, yn lle danfon Elidyr at y bws, câi fynd ar y bws gydag o, a theimlai mor aeddfed. Dim ond dau o blant eraill oedd yn dod ar y bws o Langennech i Lanelli, a disgyblion yn yr ysgol Gatholig oedden nhw.

Roedd mynd i'r ysgol Gymraeg yn Llanelli yn antur gyffrous

i Delyth, ac roedd yn mwynhau bob munud yno. Un diwrnod, daeth eu mam i gyfarfod hi a'i brawd, ac roedd golwg bryderus ar ei wyneb.

"Beth sy'n bod, Mam?" holodd Elidyr yn bryderus. Y peth cyntaf ddaeth i'w feddwl oedd fod damwain wedi bod yn y pwll glo.

"Y beilis ddaeth yn ôl," meddai'i fam, "a chymryd y piano eto."

Suddodd calon Delyth. Roedd wedi bod drwy hyn unwaith. Allai hi ddim credu ei fod yn digwydd eto. Roedd fel deffro o hunllef a chanfod nad breuddwydio oedd hi. Pam roedd hyn yn dal i ddigwydd? A pham mai'r piano oedd yn gorfod mynd?

Distaw oedd y tri ar eu ffordd adre i fyny'r Allt. Doedd dim byd i'w ddweud. Ond cofiodd am fymryn o obaith.

"Oes gobaith y bydd Plaid Cymru yn ei brynu fe eto?" gofynnodd Delyth.

"Ry'n ni wedi gofyn iddyn nhw beidio," atebodd ei mam. "Mae'n anodd i ti ddeall hynny, ac roedden nhw'n garedig iawn yn neud hynny'r tro cyntaf – meddwl amdanot ti o'n nhw."

Wyddai Delyth ddim beth oedd mor ddrwg am hynny.

"Ond er mwyn i bobol ddeall pa mor styfnig yw Cyngor

Llanelli," esboniodd ei mam, "mae'n well fod y beili'n mynd â'r celfi. Gall hynna gael sylw da yn y papurau newydd, a bydd pobol yn gwylltu."

"Pa wahaniaeth wnaiff 'ny, Mam?"

"Mwya o bobol fydd yn mynd yn grac ac yn cwyno, mwya o bwysau fydd ar y Cyngor i newid eu safbwynt a rhoi ffurflen Gymraeg i ni."

"Ond faint o amser gymerith 'ny, Mam?" gofynnodd Elidyr, oedd yn poeni y byddai rhagor o bethau'n cael eu cymryd o'r stafell fyw.

"Galle fe gymryd misoedd neu flynyddoedd – mae'n dibynnu faint o bwysau allwn ni ei roi arnyn nhw. Ond wy wedi gwneud un penderfyniad pwysig, wy am geisio am sedd ar y Cyngor," meddai Eileen.

Roedden nhw wedi cyrraedd y tŷ bellach a rhoddodd Eileen ei hallwedd yn y clo. Tynnodd Elidyr ei gôt, a throi at ei fam, "Ody 'na'n gall, Mam? Nawn nhw byth dy ethol di."

"Am beth y'ch chi'n siarad?" holodd Delyth, yn rhoi ei chôt i'w mam gan na allai gyrraedd y bachyn.

"Ti'n gwybod am Llanelly District Council," meddai Elidyr.

"Wrth gwrs mod i," meddai Delyth.

"Wel, mae Mam am geisio mynd yn aelod ohono fe.

Pa mor ddwl yw hynny?"

"Wy ddim gwaeth â rhoi f'enw 'mlaen," meddai Eileen, a gwisgo'i ffedog.

"Smo ti'n perthyn i'r Blaid Lafur, Mam!" meddai Elidyr.

Chwerthin wnaeth Eileen. "Creda neu beidio, does dim *raid* i ti berthyn i'r Blaid Lafur i fod ar y Cyngor. Fe gei fod yn aelod o blaid arall," eglurodd.

"Pwy ar y Cyngor sydd ddim yn aelod o'r Blaid Lafur?" holodd Elidyr.

"Neb," meddai ei fam, "hyd yn hyn."

"Beth yw'r Blaid Lafur?" holodd Delyth, yn awyddus i gael bod yn rhan o'r sgwrs.

"Yn gwmws fel gang," meddai Elidyr.

"Oes merched yn perthyn iddo fe?"

"Nag oes, ddim ar y Cyngor," meddai ei mam. "Elidyr, wnei di ddodi'r ford yn barod?"

"Falle nawn nhw adael i ti fod yn aelod o'u gang, fel odw i'n cael bod yn aelod o gang Elidyr, er taw fi yw'r unig ferch."

"Wy ddim yn moyn bod yn aelod o'u gang nhw, Delyth. Dyna'r pwynt o drio ennill yn enw Plaid Cymru."

"Ond ti fydd yr unig ferch, a'r unig aelod o Blaid Cymru, Mam," meddai Delyth. "Fydd 'da ti ddim ffrindiau."

"Dyna beth sy'n ei wneud e'n benderfyniad anodd, Delyth – ond wy am roi cynnig arni."

"Wyt ti'n neud hyn achos bod nhw wedi cymryd y piano?" gofynnodd ei merch.

"Wy'n ei wneud er mwyn ceisio cael llais arall yn y Cyngor – yn y gobaith y bydd ffordd o newid y drefen."

"Da iawn, Mam!" meddai Elidyr.

"Ie, da iawn," cytunodd Delyth.

Trefor a'r Cyngor

Yn Swyddfa'r Cyngor yn Llanelli, edrychodd Mr Richards yn syn ar y llythyr a ddaeth yn y post y bore hwnnw – llythyr arall gan y wraig hynod Eileen Beasley. Roedd y beilis wedi bod, wedi mynd ag eiddo o'r tŷ – ddwywaith, a doedd y wraig ddim wedi dysgu'r wers o gwbl! Roedd y llythyr yn ei law yn gofyn yr un peth yn union â'r llythyr cyntaf – roedd hi eisiau ffurflen dreth yn Gymraeg. Ochneidiodd. Doedd o ddim wedi dod ar draws neb fel hon. Aeth i'r cwpwrdd i nôl bocs newydd – ac ysgrifennu 'Mrs Beasley' arno. Roedd yn amlwg yn mynd i fod yn frwydr hir i gael hon i ddeall.

Aeth i swyddfa'r Clerc, ac roedd yntau hefyd wedi cael llythyr gan Mrs Beasley. Roedd hi am i'r Cyngor drafod y mater yn un o'u cyfarfodydd.

"Ry'n ni'n mynd i gael trwbwl 'da hon," meddai Mr Richards.

Cododd y Clerc ei aeliau. "Unwaith anfonwch chi'r beili atyn nhw, maen nhw i gyd yn dod at eu *senses*."

"Mae'r beili *wedi* bod yno, y diwrnod cyn iddi sgwennu'r llythyr."

"O dear, most unusual," meddai'r Clerc. "Wel, fe roia i'r llythyr yn y *drawer* yma, wedyn fydd dim angen inni ei drafod e yn y cyfarfod nesaf. Falle bydd hi'n fis Mehefin arna i'n dod o hyd iddo fe eto!" a gwenodd yn falch.

"Mae hi fel ci ag asgwrn," meddai Mr Richards.

"Beth mae hi'n moyn, yn gwmws, Mr Richards?"

"Ffurflen dreth Gymraeg."

"Ond dy'n ni ddim yn eu gwneud nhw yn Gymraeg. Does neb wedi eu gwneud. Ac mae'r fenyw yn deall Saesneg yn iawn. Mr Richards, mae 'na gymaint o faterion sy'n bwysicach na hyn."

"Does gan y fenyw ddim i'w wneud â'i hamser, mae'n amlwg, ac mae'n *obsessed* gyda Cymru. Fe gewch chi rai pobol fel'na – '*weak in the head*' fel bydde Mam yn dweud amdanyn nhw. Dydd da, Mr Parry."

"Dydd da."

* * *

Ymhen misoedd, daeth achos Mrs Beasley o flaen Cyngor Tref Llanelli, a bu'n rhaid ei drafod. Roedd Trefor ac Eileen yn falch iawn fod y mater am gael ei ddatrys, ar ôl pum mlynedd o aros. Gan nad oedd beili'n cael ymweld tra oedd y Cyngor yn ystyried yr achos, roedden nhw wedi cael llonydd ganddo am gyfnod. Siomedig oedd y cyfarfod. Yn Saesneg y cafodd popeth ei drafod, a gadawyd cais Mrs Beasley tan y diwedd un. Erbyn hynny, roedd pawb wedi blino ar bwyllgora, ac yn awyddus i'w throi hi am adref.

"The last matter on the agenda is a request from Mr and Mrs Trefor and Eileen Beasley from Llangennech asking for their demand notice in Welsh. This is not the first time that Mr and Mrs Beasley have made such a request."

Safodd Trefor ar ei draed, "Siaradwch Gymraeg, newch chi, tra ry'ch chi'n trafod y mater hwn. Dangoswch gymaint â hynny o barch tuag ati!"

"Sit down, sir," gorchmynnodd cadeirydd y Cyngor.

"The language of this Council is English, and the language of its administration is English. I cannot see any point in debating the matter further," meddai'r Clerc. "Does any one wish to comment? No . . .? Mr and Mrs Beasley have refused to pay their taxes in the meantime, and the bailiffs have been in their house – twice. Normal procedure has been followed. Unless they wish to see the bailiffs for the third time, they should seriously consider paying the debt, and avoid further controversy. That concludes this month's meeting. Thank you all."

"Mae hon yn mynd i fod yn frwydr lawer caletach na dybion ni, Eileen," meddai Trefor wrth adael swyddfeydd y Cyngor.

"Wy'n credu dy fod ti'n iawn, Trefor, ond allwn ni ddim ildio nawr, 'na un peth sy'n gwbl glir."

"Yn glir fel cloch, Eileen fach."

Y Fenyw Orau yn y Byd

"Shwt mae etholiad yn gweithio?" holodd Elidyr ei dad un noson.

Un da am roi sioe oedd Trefor. Roedd wastad yn gwneud i'r plant chwerthin, ac os nad oedd rhywbeth yn gynhyrfus iawn, yna fe'i gwnâi'n gynhyrfus.

"Cei di ddod mewn i'r bwth pleidleisio 'da fi – a ti 'fyd, Delyth. Ry'ch chi'n cael darn o bapur a'ch enw arno, ac mae 'da chi ddewis. Bydd y Fenyw Orau yn y Byd ar ben y papur, a bydd yr Hen Ddyn Twp ar y gwaelod. Ac wedyn ry'ch chi'n cael pensil ac yn rhoi croes wrth ba enw bynnag ry'ch chi am ei weld yn gynghorydd. P'un y'ch chi moyn ei ddewis?"

"Y Fenyw Orau yn y Byd!" bloeddiodd y plant efo'i gilydd.

"Ry'ch chi'n plygu'r papur ac yn ei roi yn y Blwch Mawr Du. Ac ar ddiwedd y dydd mae swyddogion yn gwagio'r bocs ac yn rhannu'r papurau yn ddou bentwr. Pwy bynnag sydd wedi cael y mwyaf o bleidleisiau – dyna pwy sy'n cael sedd ar y Cyngor."

"Ac yw hi'n sedd arbennig –'da'ch enw chi arni?" holodd Elidyr.

"Dyw eich enw ddim arni, ond mae 'da chi eich sedd eich hunan. A wedyn, eich jobyn chi yw trafod materion pobol eich ardal chi, ac unrhyw beth sy'n eu becso nhw. Y'ch chi wedi bod yn siambr y Cyngor erioed?"

Ysgydwodd y ddau blentyn eu pennau.

"Beth maen nhw'n ei ddysgu i chi yn yr ysgol, dwedwch?"

"Dysgon ni am Awstralia heddi," meddai Elidyr.

"Awstralia, wir," meddai Trefor dan ei wynt cyn dechrau gwneud swper. "Pa ddiben dysgu am Awstralia i blant pan nag y'n nhw'n gwybod dim am eu Cyngor eu hunain?"

O'r noson honno ymlaen, cymerodd Elidyr a Delyth ddiddordeb mawr yn yr ymgyrch. Yn lle edrych arni fel rhywbeth oedd yn mynd ag amser eu rhieni, roedd yna gynnwrf yn y peth. Bydden nhw'n helpu i roi taflenni mewn amlenni, a theimlai'r plant yn bwysig iawn fod eu lluniau nhw ar y daflen. Daethon nhw i arfer â gweld eu rhieni yn ysgrifennu llythyrau i'r wasg, a chyfrifoldeb Elidyr oedd hi i brynu'r *Llanelly Star* bob dydd Gwener.

O'r diwedd, daeth diwrnod yr etholiad, a chadwodd Trefor ei addewid a mynd â'r plant i'r bwth pleidleisio. Fe gawson nhw weld eu rhieni'n rhoi croes ar y papur ac yn ei roi yn y Blwch Mawr Du, ac anodd iawn oedd disgwyl wedyn tan y noson honno pan fydden nhw wedi gorffen cyfrif. Roedd hi ymhell ar ôl amser gwely pan ddaeth Eileen adre, a'r plant yn cysgu'n sownd. Ond cadwodd eu tad ei addewid i'w deffro pan ddôi Mam drwy'r drws.

Dau blentyn cysglyd iawn welodd eu mam yn mentro i'r stafell wely, ac roedd y wên ar ei hwyneb a'i llygaid disglair yn dweud y cyfan,

"Eileen . . . gwed y canlyniad wrthon ni!" meddai Trefor yn daer. "Sawl pleidlais gafodd y Fenyw Orau yn y Byd?"

"914," atebodd Eileen.

"A'r Hen Ddyn Twp?" holodd Elidyr, yn dechrau deffro.

"912."

"Rwyt ti wedi ei neud hi, fenyw – rwyt ti mewn!"

"Ody Mam wedi ennill?" holodd Delyth.

"Ody! Mae hi mewn – o, wy mor falch," meddai Trefor, gan ei gwasgu'n dynn." Ti yw'r fenyw gynta ar y Cyngor a'r aelod cyntaf o Blaid Cymru i gael sedd. Alla i ddim credu'r peth."

"Alla i ddim credu dy fod ti wedi dihuno'r plant chwaith," meddai Eileen. "Mae'n rhaid eu cael nhw 'nôl i gysgu nawr!"

"Cwtsia di Delyth, ac fe gwtsia i Elidyr," meddai Trefor.

Yn y tywyllwch, wrth deimlo braich ei mam yn dynn amdani, gofynnodd Delyth gwestiwn oedd ar ei meddwl.

"Mam?"

"Ie."

"Fydd lot mwy o gyfarfodydd 'da ti, nawr dy fod ar y Cyngor?"

"Bydd, ond byddan nhw yn ystod y dydd, tra wyt ti'n yr ysgol, wedyn fyddwn ni ddim yn cael llai o gwmni'n gilydd."

"Wy'n falch, Mam. Nos da."

"Nos da."

Cwestiwn arall oedd ar feddwl Elidyr.

"Dad?"

"Ie . . ."

"Fydd Mam yn gorfod mynd i ganol y bobl sydd wedi bod yn gas tuag ati 'da'r ffurflen dreth?"

"Bydd – reit i'w canol nhw, yn syth i ffau'r llewod."

"Beth wnaiff hi?"

"Hala ofon arnyn nhw nes y byddan nhw'n crynu. Ti'n gweld, mae dy fam yn fwy o lewes na'r creaduriaid di-asgwrn-cefen 'na."

Aeth Elidyr i gysgu a chafodd freuddwyd am ei fam â mwng euraid a'i llygaid yn disgleirio wrth iddi gamu i'r jyngl ar bedair coes.

Ali Baba ar blaned arall

Er mai ei chyngor lleol hi oedd Cyngor Dosbarth Gwledig Llanelli, roedd yr adeilad yn gwbl ddieithr i Eileen. Yr unig ran roedd hi'n gwybod amdani oedd swyddfa Mr Richards, gan ei bod wedi gohebu efo'r dyn ers chwe blynedd. Ond fu hi erioed yn ei swyddfa, nac yn un o'r swyddfeydd eraill. Y bore Iau hwnnw roedd wedi cael llythyr Saesneg yn dweud y byddai cyfarfod o'r Cyngor ac y byddai angen iddi fod yn bresennol.

Chafodd Eileen ddim tamaid o frecwast y bore hwnnw. Teimlai'n swp sâl, fel petai eisiau cyfogi. Cerddodd i mewn i'r adeilad, a holi'r ddynes am y cyfarfod.

"Mae e'n cael ei gynnal yn y siambr," meddai. "Chi yw'r cynghorydd newydd, ife?"

"Ie, Eileen Beasley," atebodd Eileen, yn cael pwl arall o nerfusrwydd. Gostyngodd ei llais. "Tybed allwch chi ddweud wrtho i ble mae'r tai bach?"

"Lan y grisiau a throi ar y chwith," atebodd y ferch, cyn ychwanegu. "Fanna mae tŷ bach y dynion."

"A thŷ bach y merched?"

"Does dim un – smo ni wedi cael merch yn gynghorydd o'r

blaen, mae'n ddrwg 'da fi. Defnyddiwch un y dynion os nad oes neb ambwytu'r lle. Fe hola i pa drefniadau eraill allwn ni eu gwneud."

Aeth Eileen i fyny'r grisiau, a'i chalon yn curo fel gordd. Doedd ganddi ddim dewis ond defnyddio'r unig dŷ bach oedd yno. Roedd sŵn siarad yn dod o'r siambr, ond mentrodd i'r tŷ bach.

Ar y ffordd allan daeth wyneb yn wyneb â dyn. Roedd hi'n cofio'i wyneb o rywle.

"O . . . Mrs . . . B-Beasley."

"Bore da, Mr . . .?"

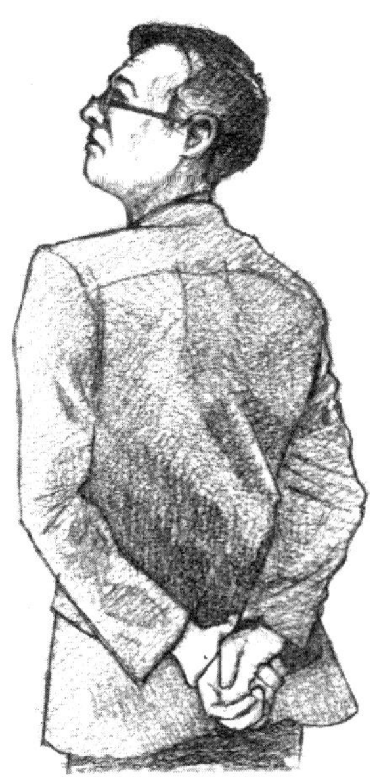

"Mr Bill Richards – Chief Rates Officer."

Edrychodd Eileen yn syn arno – Mr Richards! Ie, wrth gwrs. Gwraidd yr holl helynt! Yr un welodd hi'r tro cyntaf iddi fynd o flaen y llys. Rhywsut, doedd hi ddim wedi meddwl amdano fel person go iawn, dim ond fel anghenfil oedd yn gwrthod yn lân â rhoi ffurflen Gymraeg iddi.

"Bore da, Mr Richards."

"No doubt we'll see more of each other now," meddai yntau, a mynd trwy'r drws. Roedd wedi dod wyneb yn wyneb â'r fenyw wallgof hon eto! Ac roedd hi'n ddigon ewn i ddefnyddio tai bach y dynion. Jest y peth fyddai'r fenyw dwp yn ei wneud. Ac roedd yn mynnu siarad Cymraeg gydag e. Roedd yn gas ganddo wneud hynny yn ystod oriau gwaith – peth cwbl amhroffesiynol i'w wneud.

Yn Saesneg y cynhaliwyd cyfarfod y Cyngor – pob gair. Yn Saesneg y cafodd Eileen ei chroesawu hyd yn oed. Ddywedodd hi ddim gair yr holl amser roedd hi yno – dim ond syllu o'i chwmpas fel petai ar blaned arall, planed lle nad oedd merched na phlant, na dynion ifanc. Dim ond llond stafell o hen ddynion swnllyd, oedd yn nabod ei gilydd ers achau. Ac er ei bod yn deall Saesneg, ychydig oedd hi'n ei ddeall ar y trafodaethau. Roedd ganddyn nhw eu hiaith a'u harferion eu hunain. ‘Mister Chairman’ oedd y Cadeirydd bob tro, ac roedden nhw’n mynd yn gyflym iawn drwy’r rhaglen gan ddefnyddio geiriau fel ‘aforementioned’, yn cyfeirio at gymalau fesul rhif, yn rhoi ‘amendment’, cael rhywun i eilio, a phawb yn codi ei law i bleidleisio. Dyma sut roedd materion lleol yn cael eu rhedeg, felly. Edrychodd Eileen tuag at yr oriel gyhoeddus. Doedd yr un enaid byw yno. Er bod y pethau a benderfynwyd yn y stafell yn effeithio ar fywydau bob dydd pobl Llanelli a’r cylch, doedd neb yn gwrando ar y trafodaethau. Go brin y bydden nhw’n gallu eu dilyn, ’ta beth.

Gwawriodd ar Eileen beth roedd hi wedi’i wneud. Roedd wedi glanio yn ogof y gelyn. Teimlai’n union fel y teimlai Ali Baba pan ddaeth ar draws yr ogof yn llawn trysor. Dieithryn oedd hi, a doedd neb ei heisiau yno. Byddai’n rhaid iddi gael cryfder o rywle i allu siarad, a bod yn ddigon dewr i ymladd yn eu herbyn ar eu tomen eu hunain.

“And now, we’re about to conclude matters for today,” meddai’r Cadeirydd a gwên ar ei wyneb. “Any other business?”

Roedd pawb wedi dechrau siarad ymysg ei gilydd, gan gadw’u papurau. Mentrodd Eileen godi ei llaw.

“Hold on, gentlemen. I believe the new member of the

Council wishes to say something.

Councillor . . .?"

"Beasley, Eileen Beasley, Llangennech," atebodd, gan deimlo'n flin fod ei llais yn crynu.

"What do you wish to say, Councillor Beasley?"

"Hoffwn i godi mater papur y dreth."

"Could you speak up, please, and say what you wish to say in English – if that's not too much trouble?"

"Ry'ch chi gyd yn deall Cymraeg, on'd y'ch chi?"

Gwenodd y Cadeirydd, "That's not the point, Councillor Beasley. English is the language of the Council, and what's more, you'll make great trouble for the secretary if you choose to speak any language other than English."

"Sa i 'rioed wedi clywed shwt ddwli. Wy'n moyn gwybod pam nag o's modd cael papur treth dwyieithiog."

"I will translate for now. The Councillor wishes to discuss why the rates notice is not bilingual. Is this matter on the agenda, Mr Morris?"

"I'm afraid it is not, Mr Chairman."

"Then, Councillor Beasley, I'm afraid we cannot discuss it. Should you want the Council to discuss it, then I suggest that you follow the normal procedure so that it can be discussed in the next meeting. For now, we'll keep in mind that you are a new member, and that you will learn to fit in. That is the end of the meeting."

* * *

O'r holl brofiadau'r prynhawn hwnnw, efallai mai'r sioc fwyaf i Eileen oedd y ffordd yr aeth pawb allan o'r siambr heb ddweud gair wrthi. Roedd hi'n adnabod ambell wyneb, ond y prynhawn hwnnw, doedd neb yn dewis ei hadnabod hi. Daeth atgof iddi, atgof plentyndod. Roedd wedi meiddio ateb yr athro yn ôl, ac fel cosb, cafodd orchymyn i sefyll yng nghornel y dosbarth am weddill y wers. Ar ddiwedd y wers, dywedodd yr athro nad oedd neb i siarad ag Eileen tan amser cinio. Aeth pob un o'r plant heibio iddi, ac er iddi edrych arnyn nhw, thorrodd yr un ohonyn nhw yr un gair â hi. Hwnnw oedd yr atgof ddaeth i Eileen ar ddiwedd cyfarfod y Cyngor. Teimlai ei bod wedi bod yn ferch fach ddrwg, a'i bod wedi dwyn gwarth arni hi ei hun. Os na fyddai'n ofalus, dyna'r teimlad y byddai'n ei gael ar ôl pob cyfarfod. Roedd yn rhaid i bethau newid.

Potsio

Doedd Rhif 2, Yr Allt, byth yn dŷ llonydd, meddyliodd Delyth, a oedd yn chwech oed bellach. Roedd rhywbeth wastad yn digwydd yno. Heddiw, roedd ei thad a Roy, ei ffrind, wedi mynd i botsio. Byddai Delyth ac Elidyr wrth eu bodd yn gweld y paratoadau; roedd yn berfformans ynddo'i hun. Roy oedd partner ei thad yn y pwll, a'i ffrind pan fydden nhw'n mynd i hela. Roedd Mot fel petai'n gwybod bod antur ar droed y munud y dôi Roy drwy'r drws. Byddai Chum, spaniel Roy, yn dynn wrth ei sodlau. Mwya sydyn, roedd fel petai'r gegin fach yn llawn, a'r ddau gi yn llygadu'i gilydd. O'r diwedd, roedd popeth yn barod.

Safodd y ddau blentyn wrth y drws i ffarwelio â'r potsiwyr. Testun rhyfeddod oedd y moto-beic oedd gan Roy, a'r seid-car. Chum fyddai'n mynd yn y seid-car, a'r ddau ddryll hefyd, a doedd dim modd i Chum druan symud ryw lawer. Roy fyddai'n gyrru, Dad y tu ôl iddo, a Mot yn ei gôl. Milgi o ryw fath oedd Mot, ac roedd yn gi hynod. Taniodd Roy yr injan a diflannu mewn pwff o fwg.

"Fe fydden i'n neud unrhyw beth i fynd 'da nhw," meddai Elidyr yn eiddigeddus.

"A finne," meddai Delyth. "Pryd fyddi di'n ddigon hen i yrru moto-beic?"

"Un ar bymtheg falle," meddai Elidyr. "Wyth mlynedd arall."

Yn y cefn, roedd Eileen yn rhoi'r dillad drwy'r mangl i wasgu'r dŵr ohonyn nhw. Roedd gan rai merched yn y pentref beiriant arbennig i olchi dillad. Bydden nhw'n golchi'r ddillad, ac yn eu troi yn y peiriant nes eu bod yn weddol sych. Doedd dim gwahaniaeth gan Eileen olchi'r dillad, ond roedd eu gwasgu fel hyn yn waith caled, ac yn undonog.

"Y'n nhw wedi mynd?" gofynnodd. "Roedden nhw'n hwyr heddi."

"Roedd Roy yn hwyr yn cyrraedd, a Dad bron â danto,"

meddai Elidyr. "Wy'n ffaelu aros nes y bydda i'n ddigon hen i yrru moto-beic."

Dilynodd y ddau eu mam i'r ardd a gwylio Eileen yn rhoi'r dillad ar y lein. "Shwt garech chi'ch dou fynd i'r Swistir i ddysgu Ffrangeg?" gofynnodd mwya sydyn.

"Wrth fy modd!" atebodd Delyth. "Ble mae'r Swistir?"

"Drws nesaf i Ffrainc," atebodd Elidyr ar ei union.

Roedd Delyth wedi agor cwt y gwningen, ac yn mwynhau teimlo'i blew llyfn ar ei boch.

"Oni fydde fe'n well mynd i Ffrainc i ddysgu Ffrangeg?" gofynnodd.

"Wy wedi bod yn gwneud ymholiadau, ac mae ysgol arbennig yn y Swistir i blant . . ."

Gwgodd Elidyr. Un peth oedd gorfod mynd i Lanelli i gael addysg, peth hollol wahanol fyddai mynd i'r Swistir.

"Wy'n ddigon hapus yn ysgol Llanelli," meddai.

Doedd Delyth ddim mor siŵr. Roedd ysgol Llanelli yn ddi-fai, ond roedd cael mynd i'r ysgol mewn trên bob dydd yn apelio ati lawer mwy.

"Nage yn lle Llanelli, wrth gwrs!" meddai ei mam, gan chwerthin. "Yn ystod gwyliau'r haf fyddai hyn!"

"Pwy sy'n moyn mynd i'r ysgol yn yr haf?" holodd Delyth.

Cododd Eileen y fasged a throi 'nôl tua'r tŷ. Roedd ganddi dipyn o waith egluro i'r plant.

Dros ginio, cafodd gyfle i sôn am y syniad yn fwy manwl. Ysgol haf oedd yr ysgol yn y Swistir, a byddai cyfle i'r plant gael gwersi yn y bore a'r nos, a chwarae yn y prynhawn.

"Fyddet ti'n dod 'da ni, Mam?"

"Wrth gwrs. Ond fydd Dad ddim yn dod 'da ni – does 'da fe ddim digon o wyliau i ddod mas 'da ni."

"Fydden ni'n cael croesi i Ewrop mewn llong fawr?" holodd Elidyr. Roedd hynny ynddo'i hun yn atyniad ac yn well na mynd yn seid-car Roy hyd yn oed! Eglurodd Eileen nad oedd dim byd pendant wedi'i drefnu, a byddai'n rhaid casglu a chynilo tipyn o arian, ond cytunodd pawb ei fod yn syniad gwahanol a chynhyrfus iawn.

* * *

Pan ddaeth Trefor a Roy adre gyda'r nos, roedd yn amlwg eu bod nhw wedi cael diwrnod gwerth chweil. Roedd cael bod allan yn yr awyr iach, yn lle bod yn sownd dan ddaear, yn beth llesol iawn i'r ddau löwr. Ond yn ogystal â bod yn yr awyr iach, roedden nhw wedi dal chwe ffesant, a dyna lle roedd yr adar ar y bwrdd, a'u plu lliwgar yn harddu'r lle.

"Welest ti rywbeth pertach yn dy fyw, Delyth?" gofynnodd ei thad.

Roedd y plu'n hardd, ond syllai Delyth ar lygaid llonydd y ffesant o'i blaen. Garai hi ddim bod yn ffesant! Roedd yn drueni fod yn rhaid eu lladd, ond doedd dim byd mwy blasus na chig ffesant. Peth creulon oedd natur, roedd wedi dysgu hynny yn fuan iawn.

"Gesoch chi ddim sguthanod?" holodd Eileen.

"Dim y tro hwn," meddai Trefor. "Tro nesa falle. Ti'n gwybod beth wy ffansi, Roy? Cwcan llond tun o sguthanod, rhoi tanjerîn ym mola pob un, a bacwn drostyn nhw."

Edrychodd Roy yn amheus ar ei ffrind. Creadur tawedog oedd Roy, ond roedd ei wyneb yn dweud llawer. "Wy'n cadw tanjerîns ar gyfer y Nadolig, Trefor. Sa i'n credu y dylet ti eu cwcan nhw. Ti'n dod mas am fwgyn?"

Ac i ffwrdd â'r ddau ddyn allan, a'r cŵn i'w canlyn. Syllodd Delyth arnyn nhw drwy ffenest y gegin. Châi neb ysmygu yn y gegin, roedd honno'n rheol. Dacw'r ddau wrth y wal yn eu cwrcwd, y naill yn cynnig tân i'r llall. Neu 'ar ei arre' fel y dywedai ei thad. Felly roedden nhw wedi arfer cael saib yn y pwll, a phan oedden nhw uwchben y ddaear, roedden nhw gwneud yr un peth yn union. Roedd o'n fywyd od – treulio cymaint o amser dan y ddaear, ac yna potsio ar ddydd Sadwrn.

"Mam . . ."

"Ie, bach?"

"Fydd Dad a Roy yn mynd i drwbwl am eu bod yn potsio?"

"Na fyddan. Mae Islwyn Troserch yn gwybod eu bod nhw wrthi. A dweud y gwir, mae'n help iddo fe. Dyw e ddim moyn cymaint o gwningod, ffesantod a sguthanod ar ei dir. Ac mae Dad a Roy yn ei helpu e pan ddaw'n amser cynhaeaf. 'Na beth yw cymdogion da."

Tawelodd hynny beth ar ofnau Delyth. Roedd yn ddigon fod ei mam yn gorfod mynd i'r llys ar fater papur y dreth, heb fod ei thad yn mynd o flaen ei well am saethu!

Y noson honno, fe gawson nhw swper bendigedig o gig ffesant, tatws o'r ardd a llysiau. Ac arhosodd Roy a Chum i rannu'r wledd gyda nhw.

Potiau jam Trefor

Cerddai Delyth i fyny'r Allt at ei chartref. Roedd yn dipyn o daith ar y bws o Lanelli, ac roedd ar ei chythlwng. Roedd hi bellach yn saith oed, ac yn ddigon hen i ddod adre o'r ysgol ar ei phen ei hun. Weithiau dôi Elidyr efo hi, oni bai ei fod yn cymryd rhan mewn chwaraeon neu yn aros ar ôl yn yr ysgol. Agorodd ddrws y tŷ a newid i'w sliperi. Dyna deimlad braf oedd hynny.

Agorodd ddrws y stafell fyw a syllu mewn rhyfeddod. Roedd hi'n gwbl wag. Roedd y bwrdd a'r cadeiriau wedi mynd – roedd hyd yn oed y carped wedi mynd! Safodd Delyth yn stond ac edrych o'i chwmpas. Heb y carped, roedd hi fel stafell mewn tŷ gwag. Dechreuodd siarad er mwyn clywed yr eco:

"Delyth Beasley,

2, Yr Allt,

Llangennech."

Oedd, roedd yn union fel tŷ gwag. Roedd ei llais hyd yn oed yn wahanol. Ar wahân i'r calendr ar y wal, a'r papur wal, doedd dim i ddweud wrthi mai ei thŷ hi oedd o. O'r blaen, er bod y piano wedi mynd, roedd cadair ei mam wrth y calendr, roedd tân yn yr aelwyd, ac roedd yn lle cyfforddus, fel cartref. Nawr, roedd y cyfan wedi mynd. Roedd darn ohoni hi wedi mynd hefyd.

Cerddodd o amgylch y stafell wag yn cofio lle'r arferai popeth fod. Dyma lle'r eisteddai ei thad mewn cadair esmwyth, yn cadw'r tân i fynd. Dyna lle bu'r ddesg *roll top*, a'r hen lamp oedd yn eiddo i Mam-gu. Dyna lle treuliai ei thad gymaint o amser yn ysgrifennu erthyglau ac yn areithio wrth wneud hynny. Dyma lle roedd y soffa, lle hoffai eistedd gyda Mot. Beth fydden nhw'n ei wneud nawr, heb gadeiriau? Ble fydd ymwelwyr yn eistedd? Fyddai dim diben cynnau'r tân bellach gan nad oedd celfi yn y stafell. Nid celfi yn unig oedd wedi mynd, ond holl gysuron y cartref. Fyddai dim byd bellach fel ag yr oedd yn arfer bod. Sylwodd Delyth, gyda thipyn o gywilydd, fod gwe pry cop lle'r arferai'r ddesg fod. Ar y llawr, lle bu'r carped, roedd haen o lwch. Roedd fel hen dŷ oedd wedi'i adael.

Sut oedd cael pethau 'nôl fel roedden nhw? Pam na fyddai'r Cyngor yn rhoi ffurflen Gymraeg? Dim ond iddyn nhw wneud hynny, byddai ei rhieni'n talu, a byddai popeth yn iawn. Yn ôl ei mam, roedd rhai wedi dadlau y byddai'n anodd ffitio'r geiriau Cymraeg ar y ffurflen Saesneg. Yr ateb syml i Delyth oedd cael ffurflen fwy o faint. Pan oedd ei stori hi'n mynd yn rhy hir i ffitio ar dudalen, byddai'n nôl darn arall o bapur ac yn cario ymlaen â'r stori. Doedd yr un stori yn rhy hir i ffitio'r papur. Roeddech chi wastad yn cael digon o bapur i ffitio'r stori.

Roedden nhw'n gas wrth ei mam hefyd. Dyna oedd yn peri'r loes fwyaf i Delyth. Hyd yn oed os oedden nhw'n brin o bapur, ac yn brin o arian, doedd dim angen bod yn gas wrth ei mam. Roedden nhw'n gas wrth ei thad hefyd, ac yn ysgrifennu llythyron annifyr amdano yn y papur newydd. Y cwbl roedden nhw'n gofyn amdano oedd parch i'r iaith Gymraeg. Doedd hynny ddim yn beth drwg i'w wneud.

Mwya sydyn, trawodd ei llygaid ar y potiau jam. Dyna lle roedden nhw – rhes o botiau jam cartre ei thad, wedi'u labelu, yn un rhes ar y llawr! Pam nad oedd y rheini wedi mynd? Efallai fod y beili wedi cymryd tosturi drostyn nhw, neu efallai nad oedd e'n hoffi jam. Dyna od! Edrychodd ar y potiau.

'Jam Mwyar Trefor, 1958.'

Yr un peth oedd wedi'i ysgrifennu ar bob un yn sgrifen ei thad. Doedd dim jam tebyg iddo.

Dyna fyddai pregeth fawr ei thad bob tro. Pa bryd bynnag roedd Elidyr neu hi yn gweld bai neu'n cwyno, ateb ei thad bob tro oedd, “Fe allasai fod yn waeth, Delyth fach. Fe allasai fod yn waeth.” Roedd hynny'n wir heddiw, er eu bod wedi dwyn y bwrdd, y cadeiriau a'r carped. Ie, fe allasai fod yn waeth. Fe allen nhw fod wedi mynd â'r jam hefyd.

Peidio ag anobeithio

Clywodd Delyth sŵn y clo yn y drws, a'i mam yn ei chyfarch. Agorodd ei mam ddrws y stafell fyw, a gweld ei merch yn sefyll yno.

"Delyth! Rwyt ti wedi gweld . . ."

"Maen nhw wedi mynd â phopeth, Mam – o't ti'n gwybod?"

Aeth ei mam ati a'i chofleidio. "O'n – ro'n i yma, ond ro'n i wedi meddwl cael gair i dy rybuddio di. Ro'dd raid i fi fynd i lawr i'r dre achos fod Mrs Hughes, Garnant, wedi cael codwm. Ro'n i wedi gobeithio dy ddala di wrth y bws."

"Mae'n iawn, Mam. Maen nhw wedi gadael y jam ar ôl. Bydd Dad yn falch o hynny."

"Ffaelon nhw symud hen gwpwrdd gwydr dy dad-cu chwaith – mae fe'n sownd dan y trawstie. Neu bydde hwnnw wedi mynd hefyd, cred ti fi."

"Bydd Dad yn hapus fod cwpwrdd ei dad-cu ar ôl."

"Dere, 'naf i de i ti."

Eisteddodd Delyth wrth fwrdd y gegin. Mor wahanol oedd y gegin i'r stafell wag! Hwn oedd eu cartref go iawn, lle roedd gwres a dodrefn a bwyd a chwmnïaeth.

"Sa i'n teimlo fod y stafell ffrynt yn ran o'n tŷ ni rhagor, Mam. Lle dieithr yw e – lle i gau'r drws arno ac anghofio amdano."

"Fe gewn ni'r stafell yn ôl yn y diwedd. Beth garet ti ar dy frechdan?"

Syllodd Delyth drwy'r ffenest. Roedd ei mam yn dal yn ffyddiog y câi ffurflen Gymraeg. Doedd hi ddim wedi rhoi'r gorau i obeithio. A'r dodrefnyn olaf wedi mynd o'r stafell, roedd hi'n dal heb anobeithio.

"Oes rhywbeth alla i neud, Mam – i helpu i gael ffurflen y dreth yn Gymraeg?"

"Beth oedd 'da ti mewn golwg?"

"Gallen i ysgrifennu llythyr. Mae Mrs Davies yn dweud bod fy llawysgrifen wedi gwella llawer yn ddiweddar."

"Y peth mwya elli di ac Elidyr ei wneud yw peidio ag anobeithio. Bydde sawl un wedi rhoi'r ffidil yn y to, a digalonni. Ond fydde dim yn plesio Cyngor Llanelli yn well." Rhoddodd frechdan a gwydraid o laeth o'i blaen.

Hm. Peidio ag anobeithio. Roedd hynny'n swnio'n fwy o gamp nag ysgrifennu llythyr hyd yn oed.

Bu distawrwydd am dipyn tra oedd Eileen yn paratoi tebotaid o de, a phan eisteddodd wrth y bwrdd, mwynhaodd y ddwy gwmni ei gilydd, a saib ar ôl prysurdeb y dydd.

"Mam, sa i'n siŵr shwt i beidio ag anobeithio. Mae'r Cyngor yn gwrthod gwrando ar bopeth."

"Delyth, maen nhw'n moyn i ni ddigalonni, a thalu'r dreth a dweud, 'Dyna ni, fe ffaelon ni'. Ond dyw hwnna'n dda i ddim. Mae'n rhaid dal ati, a bod yn llawen tra y'n ni'n gwneud 'ny. Mae 'da ni do uwch ein penne, ac mae hi'n well arnon ni na sawl un arall. Fel wedest ti, fe allen nhw fod wedi mynd â'r jam. Meddwl fel'ny yw peidio ag anobeithio."

Roedd meddwl Delyth ar rywbeth arall erbyn hyn. Ond roedd un peth yn go sicr, doedd ei Mam ddim am ildio. Roedd dodrefn y parlwr wedi mynd. Os nad oedd ei rhieni am dalu, byddai dodrefn y gegin yn mynd.

"Mam, pryd fyddan nhw'n dechre mynd â chelfi'r gegin?"

"Ddaw hi ddim i hynny, Delyth, paid â becso am shwt beth."

"Dyna beth wedest ti am y stafell fyw."

"Mae'r helynt wedi cael sylw cenedlaethol erbyn hyn; mae pobol yn trafod y mater yn y *Cymro* a'r *Western Mail*. Mae pobol yn gweld yr anghyfiawnder nawr."

Yn sydyn, gofynnodd i'w mam adrodd ei hoff stori.

"Mam, gwed hanes y ddresel."

Wrth i'r tatws ferwi, daeth Eileen at y bwrdd ac eistedd i

lawr. Pan adroddai ei mam yr hanes hwn, byddai golwg bell i ffwrdd yn dod i'w hwyneb. Byddai ei meddwl yn mynd yn ôl i fyd arall, ymhell bell cyn iddi hi, Delyth, gael ei geni.

"Mae'r ddresel hon yn perthyn i ochr fy mam, ers tua'r ddeunawfed ganrif. A fesul tipyn, mae'r llestri sydd arni wedi'u casglu . . . ti'n gwybod hanes y llestri–"

"Wy'n moyn clywed e 'to, Mam!"

"Iawn, fe gei di ryw ddwy stori – 'na'r tebot hyn – mae hwn o leiaf ddou gant oed.

Prynwyd e pan oedd te yn beth prin iawn, a dim ond pobol gefnog allai ei fforddio. Bydde pobol y tŷ yn cael y ddiod newydd hon oedd wedi dod yr holl ffordd o India, ac yn ychwanegu llaeth ato, a siwgr – rhywbeth arall oedd yn dod o wledydd pell i ffwrdd, ac nag o'dd modd ei gael o gwbl ryw ganrif ynghynt."

Syllodd Delyth i'w chwpan yn rhyfeddu at yr hanes.

"'Slawer dydd, byddai perchennog y tŷ yn cael bwyd ar yr un bwrdd â'r gweision. Ond roedd te yn beth rhy ddrud i'w rannu. Felly dyna pryd ddechreuodd y meistri fwyta ar wahân i'r gweision a'r morynion. A dyna ddechre'r traddodiad o gael te bach ganol pnawn. A'r ail beth yw'r jwg fach las. Mae honno'n jwg Wedgwood."

"Wej-wd!" ebychodd Delyth. "'Na enw rhyfedd!"

"Dyna'r enw ar y math yna o jwg – un glas a phatrymau gwyn arni – llestri a wnaed gan ddyn o'r enw Josiah Wedgwood. Mae'n amlwg fod teulu mam yn flaengar, gan fod Wedgwood a'r teulu yn erbyn caethwasiaeth ar y pryd."

"Ond wedest ti fod 'da nhw weision ei hunain?"

"Mae gweision yn wahanol i gaethweision. Mae gweision yn gwneud diwrnod o waith ac yn cael eu talu amdano. Mae caethwas yn cael ei orfodi i weithio a ddim yn cael ceiniog am wneud."

Cododd ei mam a dechrau hwylio'r bwrdd.

"Dyna i ti ddigon o hanesion nawr. Mae'r ddresel yn aros amdana i yn hen garte'r teulu yn Henllan Amgoed. Ro'dd hi'n ormod o dasg i ddod â hi fan hyn, a does dim lle iddi, 'ta beth."

"Fyddwn ni ddim yn aros yn y tŷ hwn am byth, 'te?"

"Na, sa i'n credu," meddai ei mam.

"Fydd y tŷ nesa'n fwy?"

"Byddai'n gamp iddo fod yn llai!"

"A bydd lle i'r ddresel yn y tŷ hwnnw?"

"Bydd."

"A ffurflenni treth Cymraeg?"

"Bydd."

"Gorau po gynta y symudwn ni, 'te!" meddai Delyth, a helpu ei Mam i gario'r cyllyll a'r ffyrc.

Gwaith cartref

Syllai Delyth ar ei brawd yn ysgrifennu. Gallai symud ei bìn inc mor sydyn! Weithiau, dôi i stop ac edrych ymhell i ffwrdd wrth ddyfalu beth i'w ysgrifennu nesaf. Yna, i ffwrdd ag ef eto, ac roedd y cyfan yn edrych yn ddestlus ar y ddalen. Nid 'rwtshi-rwtsh' roedd e'n ei ysgrifennu. Gallai ei ddarllen unwaith eto os dymunai.

Yn nhŷ Mrs Lewis a Da-cu Drws Nesaf roedden nhw'n cael eu gwarchod. Roedd ei mam wedi gorfod mynd i'r llys eto, a Mrs Lewis fyddai'n gofalu ar eu holau. Roedd hi'n briod â Da-cu Drws Nesaf, ond doedden nhw ddim yn ffrindiau. Roedd Da-cu yn byw yn un pen o'r tŷ, a Mrs Lewis yn y llall. Ar ôl rhoi diod o laeth a brechdan iddyn nhw, bydden nhw'n cael eu tywys o'r gegin i stafell fyw Da-cu Drws Nesaf, a byddai Mrs Lewis yn aros yn y gegin. Ei waith cartref fyddai Elidyr yn ei wneud bob tro, ond tynnu llun, a lliwio neu ddarllen fyddai Delyth.

"Pa liw wna i ei wyneb e, Elidyr?"

Edrychodd Elidyr ar y llun. "Pinc?"

"Does 'da fi ddim pensil pinc a wy wedi lliwio wyneb ei ffrind yn goch, ac mae'n edrych fel petai'n chwys stecs!"

"Oes 'da ti bensil oren? Tria hwnnw."

"Oren? Sa i'n nabod neb 'da wyneb oren."

"Oren gwan, bydd hynny fel lliw croen," cynigiodd Elidyr, a dyna wnaeth Delyth. A wir i chi, erbyn iddi orffen, roedd y bachgen yn edrych yn iawn. Ond erbyn hynny, roedd Delyth wedi cael digon, ac wedi cael digon ar y tawelwch yn y stafell.

"Beth wyt ti'n neud, Elidyr?"

"Ysgrifennu hanes Columbus yn darganfod America."

"Mae Mam yn dweud taw Madog wnaeth 'ny."

"Wel, falle ei fod e wedi ffeindio rhan arall. Paid â 'nrysu i nawr."

"Elidyr . . . shwt wyt ti'n darganfod gwlad? Naill ai ei bod hi yno ers dechrau'r byd, neu doedd hi ddim," meddai Delyth.

"Hwyliodd Columbus i ben draw'r byd, a glanio yn America."

"A beth wnaeth e wedyn?"

"Wedodd yr athro ddim. Dim ond dweud wrthon ni i gofio'r dyddiad – 1492."

"Pryd cafodd Cymru ei darganfod?"

"Cyn hynny. Achos fe laddwyd Llywelyn ein Llyw Olaf yn 1282."

"Does 'da fi ddim byd i neud nawr, Elidyr."

"Bydd Mam yn ôl whap."

"Beth fydd wedi digwydd yn y llys?"

"Penderfynu mynd â mwy o'r celfi, siŵr o fod."

"Bydd raid inni dreial eu stopio nhw – fydd dim o'r tŷ ar ôl."

"Wy wedi bod yn meddwl shwt i'w stopio nhw. Mae Mam yn rhy garedig 'da nhw."

"Ddyle hi ddim agor y drws iddyn nhw, wedyn bydden nhw'n ffaelu dod i mewn i gymryd dim!" meddai Delyth.

"Allen ni ollwng gwynt o'r teiars!" meddai Elidyr. "Wedyn, bydde hwnny'n rhoi pen tost iddyn nhw."

Chwarddodd y ddau.

"Mynd ar eu hôl 'da brwsh fydden i," meddai Delyth.

Heb yn wybod iddyn nhw, roedd Eileen yn gwrando ar y sgwrs hon wrth y drws. Roedd y plant yn tyfu'n ddigon mawr i ddeall holl fater y dreth erbyn hyn. Aeth i mewn i'r stafell, "Wel dyma ddou siriol iawn! Y moddion perffeth ar ôl diwrnod yn y llys."

"Beth wedon nhw tro hyn, Mam?" gofynnodd Elidyr.

"Yr un peth â'r tro o'r blaen a'r tro cynt. Dylwn i dalu a derbyn y drefen."

"Dyna beth wy inne'n credu erbyn hyn," meddai Elidyr, yn henaidd.

“Bydde’r holl flynyddoedd o wrthwynebu yn mynd yn wastraff wedyn,” meddai Eileen wrth roi côt Delyth amdani.

“A bydde’r hen ddiawled ar y Cyngor wedi ennill!” meddai Delyth.

“Delyth!” dwrdiodd ei mam, wedi synnu.

“Dyna beth glywes i Dad yn ei ddweud.”

“Sdim isie ailadrodd popeth mae dy dad yn ei ddweud, nawr dewch! A dwedwch diolch wrth Mrs Lewis am eich carco chi.”

Ond roedd Mrs Lewis wedi hen ddiflannu i’r cefn.

Dau dramp yn mynd am dro

Curodd rhywun ar ddrws Rhif 2, Yr Allt, ac edrychodd pawb ar ei gilydd. Erstalwm, roedd y drws ffrynt yn aml yn llydan agored, a chroeso i unrhyw un gamu dros y trothwy. Ond ers helynt y dreth, a phobl ddieithr a'r wasg yn dod draw, roedd y drws ffrynt yn cael ei gau er mwyn gwarchod peth ar eu preifatrwydd.

"Cer i'w ateb e, Delyth, 'na groten dda," meddai ei thad. Yn y gegin roedd pawb wedi ymgasglu rownd y bwrdd – pawb ond Elidyr, a oedd allan yn chwarae.

Agorodd Delyth y drws a gweld mam Gertie a David yn sefyll yno.

"Helô, Delyth, ody Mam gartre? Wy moyn ei gweld os yw'n bosib."

"Af i'w nôl hi nawr," meddai Delyth.

Ers i'w mam ennill sedd ar y Cyngor, cas beth Delyth oedd gweld pobl yn galw ar ddydd Sadwrn. O'r blaen, byddai cael ymwelwyr yn galw yn bleser, ond roedd pob math o bobl yn galw bellach. Gan nad oedd dodrefn yn y stafell fyw, byddai'n rhaid i bawb ddod i'r gegin i drafod materion gydag Eileen, a golygai hynny nad oedd gan Delyth a'i thad unman i fynd. Edrychodd Eileen ar Trefor, "Odych chi'ch dou yn mynd am wac nawr?" holodd gan godi ei haeliau'n awgrymog.

"Yn mynd i wisgo nghot ro'n i," atebodd ei gŵr, gan roi winc.

"Sa i'n moyn mynd am wac, wy'n moyn aros fan hyn," meddai Delyth yn ddi-hwyl.

Safodd pawb yn edrych arni, heb fod yn siŵr beth i'w wneud.

"Rwyt ti'n mynd, a dyna'i diwedd hi," meddai ei mam, gan ddefnyddio'i llais llym. Gwyddai Delyth ac Elidyr nad oedd diben dadlau pan fyddai ei mam yn defnyddio'r llais hwnnw. Byddai cosb lem yn dilyn pe bydden nhw'n meiddio anufuddhau.

Fel rheol, roedd Delyth yn mwynhau mynd i gerdded gyda'i thad a gwrando ar ei straeon, ond roedd yn gas ganddi'r teimlad ei bod yn cael ei chloi allan o drafodaeth.

"Rhaid i ti beidio dadle 'da dy fam pan fydd pobol ddieithr yn dod i'w gweld hi, Delyth," meddai ei thad. Roedden nhw wedi mynd heibio pen yr allt, ac roedd y gwynt yn ddigon oer. Roedd Delyth yn flin ei bod wedi gadael ei menig gartref.

"Fyddwn i ddim wedi tarfu ar y sgwrs," meddai Delyth,

gan gicio carreg fechan o'i blaen. "Mae Mam yn gwybod yn iawn mod i'n ddigon hen i eistedd wrth y ford yn diddanu fy hunan. Sa i'n chwech oed rhagor."

"Nid mater o fethu bod yn dawel yw e, ond mater o gael preifatrwydd."

"Shwt mae disgwyl inni ddysgu am bethe os na chawn ni eu clywed nhw? Dyna beth mae Mam yn ei ddweud fel arfer. Licen i glywed mam David yn siarad am ei thrafferthion."

"Ond falle nag yw hi'n moyn i'r byd a'r betws glywed," meddai ei thad. "Tase 'na gelfi yn y stafell fyw, mater syml o iste 'na fydde hi, ond gan mai un stafell sydd 'da ni, mae hynny'n golygu bod raid i ni'n dou fynd mas – fel dou dramp. Damo, bydde'n well 'da finne fod gartre yn fy slipers."

Damo, damo. Damo'r busnes treth, meddyliodd Delyth. Pam oedd yn rhaid i hwnnw achosi cymaint o anhwylustod? Fel hyn fyddai bywyd am byth bellach.

"Pam wyt ti'n gwenu, Dad?"

"Meddwl am y ddou ohonon ni fel dou gardotyn, a meddwl shwt fywyd fydde hynny!"

"Fydde raid i fi fynd i'r ysgol wedyn?"

"Na, fydden ni'n rhy fishi'n cerdded. Bydden ni'n iawn am fwyd; gyda Mot yn gwmni, fe allen ni ddala digon o fwyd i gynnal y ddou ohonon ni!"

"Fydde Elidyr a Mam ddim gyda ni?"

"Falle bydde Elidyr, ond alla i ddim meddwl am dy fam fel cardotyn!"

"Byddwn ni i gyd yn gardotwyr os cymeran nhw bopeth o'n tŷ ni."

"Wel, byddwn ni'n gardotwyr 'da chydwybod dda. Fydd hynny ddim yn para'n hir nawr, Delyth, wy'n dweud wrthot ti. Mae'r gefnogaeth yn tyfu ac yn tyfu, a bydd raid i'r Cyngor ildio yn y pen draw."

Cerddodd y ddau, yn meddwl am y diwrnod pan fyddai'r frwydr yn dod i ben.

Teimlodd Delyth ddafnau glaw ar ei wyneb, a stopiodd.

"Paid aros nawr, groten!"

"Mae'n bwrw glaw!"

"So ti wedi cael dy neud o siwgr nac o halen, wedyn does dim angen i ti fecso! Dere 'mlaen."

Gofynnodd Delyth gwestiwn oedd wedi bod yn benbleth iddi erstalwm.

"Dad, pam taw ti a Mam sy'n gorfod ymladd brwydr papur y dreth? Pam na fydde rhywun arall yn neud yn eich lle?"

"Ofon falle? Sa i'n gwybod, Delyth. Falle ei fod e'n beth ffôl i'w wneud. Falle taw ni'n dou yw'r bobol fwya styfnig yng Nghymru," meddai Trefor, gan wenu. "Mae'n bwysig neud beth sy'n iawn achos ei fod e'n iawn, heb fecso beth mae neb arall yn ei feddwl."

Doedd Delyth dim yn gwybod beth i'w feddwl. Y cyfan wyddai hi oedd ei bod yn wlyb, a'i thraed yn wlyb, a'i bod eisiau mynd adref.

"A phan rwyt ti'n meddwl, mae'n waith digon addas i golier, on'd yw e?" meddai ei thad eto. "Paratoi'r ffordd. Dyna wy wedi bod yn ei wneud erioed. Agor ffas, gosod y *pit props*, fel ei bod yn saff i ddynion eraill gerdded ’mlaen. Dyna beth ry’n ni yn ei wneud ’da Brwydr y Dreth – gosod y *pit props* i wneud yn siŵr fod y Gymraeg yn saff, ac y gall eraill ar ein holau fynnu mwy o hawliau i’r Gymraeg. Falle y cei di, Delyth, fyw yn ddigon hir i weld Cymru yn cael ei senedd ei hun ryw ddydd.”

Rhyw ddydd . . . rhyw ddydd, meddyliodd Delyth.

Y postmon yn galw

Cafodd Mr Richards gais i fynd i weld y Prif Swyddog rhyw fore. Peth anarferol iawn oedd hyn. Ymfalchïai Mr Richards fod ei waith yn berffaith, a gwnâi bopeth yn ofalus iawn. Ni châi unrhyw denant fod ar ôl gyda'i daliadau, a byddai Mr Richards yn hynod effeithiol yn cael y beili atyn nhw. Roedd ei gownts, fel ei ddesg, fel pìn mewn papur.

"Mr Richards," meddai Mr Parry, y Prif Swyddog. "Mae un mater sy'n peri pryder mawr i'r Cyngor hwn – achos Eileen Beasley. Edrychwch . . ."

Edrychodd Mr Richards ar y papur o'i flaen. Copi o'r *Cymro* oedd o, a'r pennawd oedd, 'Y Beasleys yn dal ati'.

"Gwraig styfnig iawn yw hi, mae arna i ofon."

"Wy'n gwybod hynny – mae hi wedi bod yn aelod o'r Cyngor yma am flwyddyn. Wy'n gwybod ei bod yn styfnig. Edrychwch ar hwn – *Woman's Own, Women's Weekly* . . . mae ei stori ym mhobman."

"Mae'r teulu 'na'n gwybod shwt i gael sylw."

"Edrychwch ar y ffeil yma – llond bocs o lythyrau – o Ganada, o Ffrainc, o bob gwlad dan haul – mae 'na bwysau mawr arnon ni."

"Beth y'ch chi'n moyn i fi neud, Mr Parry?"

"Sortiwch e! Sortiwch e, ddyn. Ry'n ni'n *laughing stock*!"

"A sut y'ch chi'n meddwl y gallwn ei sortio, syr? Wy wedi gohebu â hi ers wyth mlynedd, ac mae hi wedi bod o flaen y llys dros ddwsin o weithiau. Mae'r beilis wedi bod bedair gwaith. Does dim mwy o gelfi yn ei stafell fyw erbyn hyn."

"Pedair gwaith? Mae'r beilis wedi mynd â'r *holl* gelfi o'i stafell fyw?"

"Ro'n i'n meddwl eich bod yn gwybod, Mr Parry. Mae e yn y papurau."

"Does 'da fi ddim amser i ddarllen papurau newydd – edrych ar y penawdau fydda i, *and it's not looking good*. Mae pobl yn cyfeirio at Gyngor Llanelli fel cyngor styfnig. Mae hi'n ennill y 'publicity war'. *Can't you sort it out, for goodness sake, Richards? What's the problem*?"

"Mae hi isie ffurflen dreth Gymraeg."

Edrychodd Mr Parry ar y bwrdd, fel petai'n chwilio am ateb.

"A faint fydde cost rhywbeth fel'ny?"

"Dwy bunt a phum swllt."

"Ac ry'n ni wedi gwagio stafell y fenyw druan jest am y gost yna?"

Dechreuodd Mr Richards deimlo'n nerfus. "Nid mater o gost yw e, syr, ond o egwyddor."

"Pa egwyddor sy'n gallu costio cymaint â hyn i ni mewn PR gwael, Mr Richards?"

"Fel mae'r cynghorwyr wedi dweud bob tro – os ildiwn ni i hyn, fydd hi'n moyn y joli lot yn Gymraeg! *It's a test case – can't you see?*"

Edrychodd y Prif Swyddog yn flin ar y swyddog digywilydd a oedd yn meiddio herio'i awdurdod.

"Sori, Mr Parry," meddai Mr Richards, yn sylweddoli ei fod wedi mynd yn rhy bell. "Do'n i ddim yn meddwl bod yn amharchus. Mae'r achos hyn wedi peri mwy o loes i mi na dim byd arall yn ystod fy amser yma fel swyddog trethi."

"Sort it out, Richards. Whatever it takes, sort this ridiculous problem out! If she wants it in Welsh – then give it. Wyth mlynedd! Sa i'n credu'r peth!"

Ond nid Mr Richards fu'n gyfrifol am ddatrys y mater. Wyddai hwnnw ddim beth i'w wneud. Ymhen ychydig wythnosau rhoddodd un o'r cynghorwyr gynnig gerbron y Cyngor i ffurflen dreth ddwyieithog gael ei hargraffu. Doedd dim sôn am hyn yn y wasg. Doedd yr un gohebydd yno i gofnodi'r penderfyniad. Hanner awr yn unig gymerodd hi i Mr Edwards, o'r adran bersonél, i gyfieithu'r geiriau. Pan roddwyd y cyfan at ei gilydd yn adran yr argraffwyr, sylwodd yr argraffydd ddim nes roedd y papur o'i flaen. Postiwyd yr holl ffurflenni, ac un bore cyrhaeddodd un Rif 2, Yr Allt.

* * *

Y bore hwnnw, roedd Eileen wedi ffarwelio â'r plant ac wedi smwddio'r dillad. Clywodd sŵn y postmon wrth y drws ac aeth i'w gyfarch.

"Bore da, Mrs Beasley."

"Diolch yn fawr i chi. O, mae'n fore hyfryd!"

"Ar ddyddie fel hyn, wy'n diolch i Dduw taw postmon odw i

– ar wahân i'r tyle serth 'na!"

Chwarddodd Mrs Beasley, a chau'r drws. Dwy amlen oedd yna, un o'r Cyngor a llythyr gan ei ffrind, Mair. Fe'u gosododd ar y bwrdd, a berwi'r tecell i gael paned. Un o'i phleserau pennaf oedd derbyn llythyr.

Ac roedd llythyr gan ei ffrind, Mair, yn cael ei groesawu'n arw.

Ar ôl gwneud paned, penderfynodd agor yr amlen frown ddiflas yn gyntaf, cyn llythyr Mair. Faint oedd y bil hwn, tybed? Hawyr bach! Roedd y Cyngor wedi rhoi pennawd dwyieithog y tro hwn, ac wedi sillafu 'Llanelli' gydag 'i' yn lle 'y'. Y swm oedd £8.00.

Edrychodd Eileen ar y ffurflen. Roedd yn nodi 'swm' – yn Gymraeg. Roedd y cyfan yn Gymraeg yn ogystal â Saesneg – yr hyn roedd hi wedi brwydro amdano ers wyth mlynedd! I ddechrau, wnaeth y peth ddim gwawrio arni – meddyliodd ei bod yn gweld pethau, fod rhywun yn . . . wyddai hi ddim beth i'w feddwl.

Nid ffurflen wedi'i gwneud yn arbennig iddi hi oedd hi. Roedd hi'n ffurflen wedi'i hargraffu. Golygai hyn fod pawb ym mwrdeisdref Llanelli y bore hwnnw wedi cael ffurflen â'r Gymraeg arni.

Gorweddai llythyr Mair ar y bwrdd, heb ei agor. Rhuthrodd Eileen i'r stafell fyw. Roedd hi eisiau dweud rhywbeth wrth rywun, eisiau rhannu'r newydd, ond doedd neb gartre. Felly, aeth i ddweud wrth y stafell wag. Roedd yr ymgyrch wedi'i hennill!

Doedd dim angen mwy o lythyron, dim angen ysgrifennu at y wasg, dim angen ateb newyddiadurwyr, dim angen mynd ar y teledu, dim angen dadlau â'r Cyngor, mynd i'r llys, agor y drws i'r beilis. Roedd y cyfan ar ben! Ar ben! Ar ben!

Teimlodd euogrwydd a baich yn llithro oddi ar hysgwyddau, yn llythrennol, bron. Dim ond nawr y dechreuodd wawrio arni gymaint o straen oedd y cyfan wedi bod. Câi ddechrau prynu dodrefn i'r stafell fyw eto. Fyddai neb yn dod i'w nôl, fyddai 'run beili yn dod dros y trothwy byth eto. Câi gadw ei dodrefn, a bod yn falch o'i thŷ a theimlo fel person cyffredin unwaith yn rhagor. Nid Eileen Beasley, y wraig wallgof oedd eisiau ffurflen Gymraeg, oedd hi mwyach – roedd y cyfan ar ben!

Parti'r teulu Beasley

Pan gyrhaeddodd Trefor Beasley adre'r diwrnod hwnnw, gwyddai fod rhywbeth yn wahanol. Roedd y bwrdd wedi'i osod i'r teulu cyfan, ac roedd jeli coch ar blât pawb. Fel rheol, byddai'n bwyta ar ei ben ei hun, gan y byddai'r plant wedi hen orffen eu te erbyn iddo fo gyrraedd adre.

"Beth yw hyn, Eileen? Odw i wedi anghofio pen-blwydd rhywun?" gofynnodd.

Gwenodd Eileen. Dim ond ar ddyddiau pen-blwydd bydden nhw'n cael jeli fel rheol.

"Ishte lawr, Dad," meddai Elidyr yn gynhyrfus.

"Ie, pawb i ishte lawr," meddai Eileen.

"Agor yr amlen, Dad!" gwaeddodd Delyth, yn llawn cyffro.

Cydiodd Eileen yn yr amlen gyffredin a'i chwifio dan drwyn Trefor. Gwelodd yntau mai o'r Cyngor roedd hi wedi dod a bod Eileen eisoes wedi'i hagor. Ers wyth mlynedd, roedd ei galon wedi suddo bob tro roedd wedi agor llythyr gan y Cyngor. Efallai fod newydd da yn hon. Tybed a oedden nhw am ailystyried?

Dim ond darn bach o bapur oedd yn yr amlen – ffurflen, heb

lythyr o unrhyw fath. Ie, ffurflen dreth arall oedd hon, dim mwy. Pam roedd pawb wedi cynhyrfu? Yna, fe'i darllenodd. Cododd ei lygaid ac edrych i fyw llygaid Eileen.

"Wel, myn yffach i, Mrs Beasley – 'ni wedi ennill!"

"Hwrê!" gwaeddodd y plant.

"Hwrê?" meddai eu tad, "Mae angen mwy na hwrê – Haleliwia, weden i!"

"Haleliwia!" bloeddiodd pawb.

Eisteddodd Trefor yn ôl yn ei gadair. Edrychodd Delyth arno. Ac am y tro cyntaf, meddyliodd fod ei thad yn edrych yn hen. Roedd pawb yn sylwi arni hi ac Elidyr yn tyfu. Doedd hi erioed wedi meddwl o'r blaen fod ei thad a'i mam yn heneiddio.

"Wy ddim yn gwybod beth i'w ddweud," meddai. Roedd dagrau yn cronni yn ei lygaid. "I ti mae'r diolch, Eileen. Heb dy ddyfalbarhad, fydden ni ddim wedi llwyddo."

"Wy'n credu y dyle pawb gael eu llongyfarch – yn enwedig y plant. Dyw hi ddim wedi bod yn rhwydd iddyn nhw, nag yw?"

"Ga i weld?" gofynnodd Delyth, a phasiodd ei thad y ffurflen dreth iddi.

Dim ond darn bach o bapur oedd o. Dyna oedd y peth

cyntaf drawodd Delyth. Anodd credu bod rhywbeth mor fach wedi achosi'r fath helbul. Astudiodd y ffurflen; edrychai'n daclus iawn. Doedd dim gormod o eiriau arni, jest digon. Roedd popeth yn ffitio'n iawn. Pam gymerodd hi'r holl flynyddoedd 'na?

"Mae'r Gymraeg yn ffitio'n berffeth, Mam."

"Wrth gwrs ei bod hi."

"Pam roedden nhw'n dweud nag oedd lle iddi?"gofynnodd Delyth.

"Nhw oedd wedi penderfynu nag oedd lle iddi. Dyw rhai pobol ddim yn hoffi'r Gymraeg, er eu bod nhw'n ei siarad. Mae'r Gymraeg wedi'i thrin fel iaith cwtsh dan stâr am gyhyd, maen nhw'n teimlo'n fach eu hunain wrth ei defnyddio. Wedyn i deimlo'n fawr ac yn bwysig, maen nhw'n defnyddio'r Saesneg bob cyfle."

"Wy byth yn mynd i neud hynny," meddai Elidyr.

"Na finne," cytunodd Delyth. "Pan fydda i wedi tyfu lan fe fyddai i'n helpu pawb ym mhobman i ddeall pethe mewn gwahanol ieithoedd. Bydda i'n dysgu llawer o ieithoedd fel y galla i gyfieithu o un iaith i iaith arall."

"Nag yw hi'n bryd cynnau'r tân?" gofynnodd Eileen.

"Mae 'da fi un seremoni i'w chyflawni," meddai Trefor, gan

godi a mynd at y cwpwrdd. "Rhyw bethe bach wy wedi bod yn eu cadw . . ."

Gwyliodd y plant eu tad yn mynd i chwilota yn y cwpwrdd. Erstalwm, byddai eu tad yn cadw dogfennau pwysig yn ei ddesg, ond ar ôl i honno fynd, byddai'n eu cadw yn y cwpwrdd. Pan aeth y cwpwrdd, byddai'n eu cadw ar fwrdd y stafell fyw, ond ar ôl i hwnnw fynd, roedden nhw'n cael eu cadw ar chwâl braidd yn nghwpwrdd y gegin.

"Dyma nhw!" meddai, gan godi pentwr o bapurau.

"Beth y'n nhw?" holodd Elidyr.

"Y rhain, Elidyr Beasley, yw holl ffurflenni treth y tŷ hwn ers 1952, pan symudon ni i'r Allt. Mae pob un yn uniaith Saesneg ac wedi bod yn sarhad arno i a dy fam ers y diwrnod cynta. Fe wrthodon ni eu cydnabod, ond cadwais bob un yn ddeddfol. Wedes i y byddwn yn cael seremoni pan ddôi'r ffurflen Gymraeg, a nawr mae'r dydd wedi dod. Mae'r seremoni ar fin dechre. Wy'n mynd i'w llosgi nhw'n llwch!"

"Hwrê!" gwaeddodd pawb.

Gwyliodd Delyth ei thad yn plygu wrth y grât ac yn paratoi'r tân. Roedd wrth ei bodd yn ei wylio'n cyflawni'r ddefod ddyddiol. Ar ôl iddo osod y ffurflenni ar waelod y grât, rhoddodd y coed ar eu pennau, a'r glo yn haen drostyn nhw.

“’Na ni, a dyma’r fatsien.” Fe’i taniodd, a llyncodd y tân y cyfan, fel rhyw anghenfil dinistirol.

Edrychodd ar Delyth. “Wy wedi dishgwl ’mlaen at neud hynny ers amser maith. Feddyles i ddim y bydde fe’n cymryd cymaint o amser. Erbyn hyn, mae ’da fi fab naw blwydd oed, a chroten seithblwydd, a’r ymgyrchwraig ore erioed yn wraig i fi. ’Na ŵr ffodus odw i!”

Gwenodd Delyth o glydwch ei chadair, a pharhau i syllu i’r tân. Dyna’r tro cyntaf iddi sylweddoli bod ei thad yn ŵr arbennig iawn. Roedd wedi brwydro am wyth mlynedd, roedd wedi cael ei siomi cymaint o weithiau, roedd wedi colli eiddo. Ac eto, yn lle chwerwi, y peth mwyaf a deimlai ar y diwedd oedd diolch ei fod yn ŵr mor ffodus.

HEAD OFFICE HOURS:
2, Queen Victoria Road, Llanelly:
Monday to Friday: 10 a.m. to 4 p.m.
(Holidays excepted).

ORIAU'R BRIF SWYDDFA:
2, Heol Brenhines Victoria, Llanelli:
Dydd Llun i Dydd Gwener: 10 o'r gloch i 4 o'r gloch.
(Ag eithrio'r Gwyliau).

Sylwer:—
CAEIR Y SWYDDFA AR Y SADWRNAU

Mr & Mrs T.Beasley,
2, Allt,
LLANGENNECH.

LLANELLY RURAL DISTRICT COUNCIL

PARISH OF LLANGENNECH.

The Rural District Council have made a General Rate at 14s. 8d. in the £ in respect of the half-year ending the 30th SEPTEMBER, 1962. This is made up of the following items of which further details are provided overleaf.

	s.	d.
Rural District Purposes	3	0.51
County Purposes	11	0.00
Parish Purposes	0	4.39
Transitional Payment	0	3.10
Total	14	8

WATER RATES as follows: Domestic properties 10d. in £. Business properties 6d. in £ on the Gross Value. Minimum charge 4/4d.
Payment of the General Rate and the Water Rate, and the arrears (if any) of former rates as shown below is now due from you.

CYNGOR DOSBARTH GWLEDIG LLANELLI

PLWYF LLANGENNECH.

Gwnaed Treth Gyffredinol o 14s. 8c. yn y bunt gan y Cyngor Dosbarth Gwledig am yr hanner blwyddyn yn diweddi 30ain MEDI, 1962. Gwneir y dreth i fyny o'r eitemau canlynol a gwelir manylion pellach ar gefn y ddalen hon.

	s.	c.
Amcanion y Dosbarth Gwledig	3	0.51
Amcanion y Sir	11	0.00
Amcanion y Plwyf	0	4.39
Taliad Trawsnewid	0	3.10
Cyfanswm	14	8

TRETH DDWR fel a ganlyn: Meddiannau Cartref 10c. yn y bunt, Meddiannau Busnes 6c. yn y bunt ar y Gwerth Crynswth. Lleiafswm i'w dalu 4/4c.
Mae taliad y Dreth Gyffredinol a'r Dreth Ddŵr, ynghyd ag ôl-ddyledion (os oes) o'r trethi blaenorol yn awr yn ddyledus oddi wrthych fel y nodir isod.

No. Rhif	Situation of Hereditament Sefyllfa'r Eiddo	Net Annual Value Union Werth Blynyddol	Rateable Value Gwerth Trethol	General Rate Treth Gyffredinol £	s.	d.	Gross Value Gwerth Crynswth £	Water Rate Treth Ddwr £	s.	d.
237 1/3/8	2, Allt, LLANGENNECH.		7	5	2	8	12	-	10	-
Arrears (if any) at 1st April, 1962 / Ol-ddyledion (os oes) ar y 1af Ebrill, 1962										
Allowance / Gostyngiad				-	2	7				
AMOUNT DUE If paid by 30th JUNE, 1962 / DYLEDUS YN AWR Os telir ar, neu cyn 30ain MEHEFIN, 1962				5	-	1		-	10	-

[illegible]

Please Note:—OFFICES CLOSED SATURDAYS

Sub-Office Days—Dyddiau'r Is-Swyddfa	
25 { April / Ebrill	25 { July / Gorffennaf
30 { May / Mai	29 { August / Awst
13, 27 { June / Mehefin	26 { September / Medi

R.F.C. Hall
LLANGENNECH
9.30 a.m.—12 noon

By Order of the Council, C. B. HUGHES, Clerk   Trwy Orchymyn y Cyngor, C. B. HUGHES, Clerc

NOTES

ALLOWANCES claimable on the current General Rate if paid in full on or before 30th JUNE, 1962: Owner-occupiers: 2½%; Other Owners: 10%.
PAYMENT: Payment to be made or sent by post (together with this demand) to THE RATES OFFICE, 2, Queen Victoria Road, Llanelly. Cheques, money orders and postal orders should be made payable to the **Llanelly Rural District Council** and crossed. They should not be made payable to any individual officer. Receipts for payment by cheque will only be issued if requested at time of payment. The Rating Officer should be notified of empty property and of any change in ownership.

NODIADAU

GOSTYNGIADAU hawliadwy ar y Dreth Gyffredinol bresennol os telir yn llawn ar, neu cyn 30ain MEHEFIN, 1962, yw: I ddeiliaid sydd berchen yr eiddo: 2½%; Perchenogion eraill: 10%.
TALIAD: Taliadau i'w gwneud neu eu hanfon drwy'r post (ynghyd â'r Archeb hwn) i SWYDDFA'R DRETH, 2, Heol Brenhines Victoria, Llanelli. Sieciau, archebion ariannol ac archebion post i'w gwneud yn daladwy i **Cyngor Dosbarth Gwledig Llanelli** a'u croesi. Ni ddylid gwneud yn daladwy i unrhyw swyddog arbennig. Anfonir Derbyneb am dal drwy siec os gofynnir amdani wrth dalu. Dylid hysbysu'r Swyddog Trethi o adeiladau gwag ac unrhyw newid mewn perchenogaeth.

Ôl-nodyn

O'r tân a gafodd ei gynnau ar aelwyd y Beasleys yn Llangennech, ymledodd y gwreichion i bob man. Hedfanodd un wreichionen i gartref neb llai na Saunders Lewis. Erbyn hynny roedd yn hen ŵr dros ei 70 oed. Fo oedd wedi sefydlu Plaid Cymru yn ŵr ifanc ac roedd yn un o'r tri oedd wedi gosod yr Ysgol Fomio ar dân ym 1936. Roedd hefyd wedi ysgrifennu rhai o ddramâu enwocaf Cymru.

Bob blwyddyn, byddai'r BBC yn dewis rhywun amlwg ym mywyd Cymru ac yn gofyn iddo draddodi darlith, a Saunders Lewis gafodd ei wahodd i wneud hyn ym 1962. Gwyddai yn union beth oedd eisiau ei ddweud. Roedd am rybuddio'r Cymry fod yr iaith Gymraeg yn marw.

Rydyn ni wedi arfer â'r syniad yma bellach yng Nghymru, fod yr iaith Gymraeg yn colli ei thir, ond roedd yn syniad newydd ym 1962. Roedd nifer helaeth o bentrefi yng Nghymru yn dal i fod yn hynod Gymreig, ac roedd yr iaith Gymraeg i'w chlywed ar y stryd o Gaernarfon i Gaerfyrddin. Bob deng mlynedd, mae'r llywodraeth yn cynnal cyfrifiad sy'n casglu gwybodaeth am bobl Prydain. Roedd Cyfrifiad 1961 yn dangos bod nifer y siaradwyr Cymraeg wedi gostwng yn arw. Dewisodd Saunders Lewis roi ei ddarlith cyn i'r ffigyrau gael eu rhyddhau gan ei fod yn gwybod bod y Gymraeg mewn trafferthion. Ym mis Rhagfyr 1961, ysgrifennodd Saunders Lewis at Eileen Beasley a gofyn iddi beth oedd hanes ei brwydr hi yn erbyn Cyngor Llanelli. Rhyfeddodd at y modd y cafodd ei thrin, rhyfeddodd ei bod wedi cymryd wyth mlynedd iddi gael cyfieithiad Cymraeg.

Ar 13 Chwefror 1962, ar y radio, rhoddodd Saunders Lewis ei ddarlith. Roedd llawer yn edrych ymlaen at ei chlywed, a'r syniad sydd gen i yw fod yna bobl o Fôn i Fynwy wedi setlo i lawr wrth eu set radio'r noson honno i glywed yr hyn roedd gan Saunders Lewis i'w ddweud. Rydw i am i chi ddychmygu eich hun yn awr yn swatio wrth y tân ac yn gwrando ar lais hen ŵr yr oedd gan bobl gymaint o barch tuag ato. Dyma ei eiriau – rhai ohonynt. Gallwch glywed ei lais ar y We.

> "Ni all dim newid y sefyllfa ond penderfyniad, ewyllys, brwydro, aberth, ymdrech. A gaf i alw eich sylw chi at hanes Mr a Mrs Trefor Beasley. Glöwr yw Mr Beasley. Yn Ebrill 1952 prynodd ef a'i wraig fwthyn yn Llangennech gerllaw Llanelli, mewn ardal y mae naw o bob deg o'i phoblogaeth yn Gymry Cymraeg . . . Gan hynny, pan

> ddaeth papur treth oddi wrth *The Rural District Council of Llanelly*, anfonodd Mrs Beasley i ofyn am ei gael yn Gymraeg. Gwrthodwyd. Gwrthododd hithau dalu'r dreth nes ei gael. Gwysiwyd hi a Mr Beasley dros ddwsin o weithiau gerbron llys yr ustusiaid . . . Tair gwaith bu'r beilïod yn cludo dodrefn o'u tŷ nhw, a'r dodrefn yn werth llawer mwy na'r dreth a hawlid. Aeth hyn ymlaen am wyth mlynedd . . ."

Byddai'n braf cael dweud bod Eileen Beasley a'r teulu yn gwrando ar y neges hon yn Rhif 2, Yr Allt, ond doedd ganddyn nhw ddim set radio, na theledu. Petai ganddyn nhw un, mae'n siŵr y byddai wedi cael ei chymryd gan y beili. Aeth Saunders Lewis yn ei flaen:

> "Fe ellir achub y Gymraeg . . . Dengys esiampl Mr a Mrs Beasley sut y dylid mynd ati . . . Eler ati o ddifrif a heb anwadalu. Hawlier fod pob papur y dreth yn Gymraeg . . . Dyma'r unig fater politicaidd y mae'n werth i Gymro ymboeni ag ef heddiw. Nid dim llai na chwyldroad yw adfer yr iaith Gymraeg yng Nghymru. Trwy ddulliau chwyldro yn unig y mae llwyddo."

Yng nghanol y rhai oedd yn gwrando ar y ddarlith hon drwy Gymru roedd bechgyn a merched ifanc, ac fe gawson nhw eu tanio. Roedd un neu ddau o fyfyrwyr Aberystwyth eisoes wedi cael gwŷs Saesneg gan lys, ac yn ymgyrchu i geisio cael un Gymraeg. Bu clywed am frwydr y Beasleys yn ysbrydoliaeth iddyn nhw.

Yn y diwedd, penderfynodd criw ohonyn nhw drefnu bysiau a dod ynghyd ar ddiwrnod oer o Chwefror ym 1962. I dynnu sylw at sefyllfa'r Gymraeg, eisteddodd criw ohonyn nhw ar bont Trefechan gyda phosteri, 'Statws Swyddogol i'r Gymraeg!' Doedd neb wedi gwneud y fath beth o'r blaen. Hon oedd protest gyntaf Cymdeithas yr Iaith Gymraeg, ac mae honno'n stori ynddi ei hun. Ond un o'r rhai cyntaf i ymaelodi â'r Gymdeithas oedd Trefor ac Eileen Beasley. Buon nhw'n gefnogol iawn iddi, fel y bu eu merch, Delyth, a dyna ni'n dod yn ôl at ddechrau'r llyfr hwn.

Nid yw brwydr yr iaith ar ben

Ymaeloda â Chymdeithas yr Iaith heddiw i sicrhau dyfodol i'r Gymraeg!

Enw ....

Cyfeiriad ....

....

Ffôn ....

Ebost ....

Wedi bod yn aelod o'r blaen ☐

Ymaelodi am flwyddyn:

Myfyriwr ysgol / chweched £3 ☐

Aelodaeth teulu (plant dan 16) £24 ☐

Dychwelwch gyda arian neu siec i: Cymdeithas yr Iaith Gymraeg, Prif Swyddfa, Ystafell 5, Y Cambria, Rhodfa'r Môr, Aberystwyth, SY23 2AZ

cymdeithas o bobol sy'n gweithredu'n ddi-drais dros y gymraeg a chymunedau cymru **fel rhan o'r chwyldro rhyngwladol dros hawliau a rhyddid**